todas as coisas que eu te escreveria se pudesse

Do autor da série *best-seller* **TEXTOS CRUÉIS DEMAIS**

Igor Pires

todas as coisas que eu te escreveria se pudesse

Editora responsável **Veronica Armiliato Gonzalez**
Assistente editorial **Lara Berruezo**
Diagramação e capa **Renata Zucchini**
Projeto gráfico original **Laboratório Secreto**
Ilustrações e arte da capa **Jônatas Moreira | (jonatxs)**

Texto fixado conforme as regras do Acordo Ortográfico da Língua Portuguesa (Decreto Legislativo nº 54, de 1995)

CIP-BRASIL. CATALOGAÇÃO NA PUBLICAÇÃO
SINDICATO NACIONAL DOS EDITORES DE LIVROS, RJ

P744t

Pires, Igor
Todas as coisas que eu te escreveria se pudesse / Igor Pires ; ilustração Jônatas Moreira. - 1. ed. - Rio de Janeiro : Globo Alt, 2021.
: il.

ISBN 978-65-88131-24-4

1. Poesia brasileira. I. Moreira, Jônatas. II. Título.

21-69899 CDD: 869.1
CDU: 82-1(81)

Meri Gleice Rodrigues de Souza - Bibliotecária - CRB-7/6439

1ª edição, 2021 - 10ª reimpressão, 2024

Direitos de edição em língua portuguesa para o Brasil adquiridos por Editora Globo S.A.
Rua Marquês de Pombal, 25
20.230-240 – Rio de Janeiro – RJ – Brasil
www.globolivros.com.br

te dizer todas as coisas seria dar à sua boca o
poder de me beijar novamente. por essa razão,
decidi esconder algumas de você
... escrevendo.

dedico todas as minhas palavras e sentimentos,
enfim, a vocês, meus leitores; à minha família
e amigos, pelo suporte de sempre, e a Deus,
pela oportunidade de escrever.

poemas pra desentrelaçar as mãos

você me pergunta o que é a vida e eu respondo que ela
é este sopro brecha fresta espaço cisão buraco
que existe no meio das coisas
no eixo de tudo
no centro do universo
e fora dele

te escreveria todas as coisas se pudesse
mas escrevê-las seria voltar a
acreditar que eu te amei um dia
e não quero crer que cavei um
buraco tão fundo e mergulhei
tão desprotegido em alguém que
não se emociona.

todas as coisas que eu te escreveria se pudesse

te escreveria todas as coisas
mas escrevê-las é como passar mel na sua boca
é acreditar em um deus que nunca vi
percorrer uma estrada em que não vejo saída
permitir que seu corpo regresse ao infinito do meu

te escreveria todas as coisas se pudesse
mas escrevê-las seria queimar as bibliotecas da cidade
apagar as verdades que já foram escritas pelos filósofos
da antiguidade
pelos poetas que morreram sem conhecer o sabor da fama
pelas pessoas que amaram e não tiveram em seu amor o
reconhecimento do cinema
a bênção da lágrima que escorre
do rosto de quem pagou pelo filme errado

te escreveria todas as coisas se pudesse
mas escrevê-las seria voltar a acreditar que eu te amei um dia
e não quero crer que cavei um buraco tão fundo e mergulhei tão desprotegido em alguém que não se emociona
seria reconhecer que ainda há uma humanidade em minha pele que tem seu cheiro e seu gosto
que conhece onde começa e termina seu pulmão
que sabe onde moram todas as suas feridas e onde estão guardadas as mentiras que você me contava pouco antes de dormir

te escreveria todas as coisas se pudesse
mas escrevê-las seria voltar às primeiras lágrimas que chorei depois que você se foi
seria rasgar o céu pela metade na esperança de que deus pudesse descer e aliviar a dor de te ver escolhendo outra pessoa
de que deus pudesse me curar de querer voltar a tudo aquilo que me parte ao meio

eu te escreveria todas as coisas
mas escrevê-las seria como dar poder a uma criança que certamente optaria pela brincadeira mais difícil e pelo doce que não pode ter
seria como te munir com as armas:
a bala
os dedos em sinal de que é chegada a hora do fim
a respiração ofegante antes do tiro

eu te escreveria todas as coisas se pudesse
mas escrevê-las seria assinar minha sentença de morte
o obituário de alguém cujo pecado foi amar de olhos
fechados e coração aberto
de quem errou no movimento: era o músculo morador
do peito que precisava se fechar

mas eu não sabia de você
e agora sei.

você é aquele cara que nunca entrou na biblioteca da
cidade pra ler um livro ou uma pessoa
que nunca chorou ao imaginar a possibilidade de tantos
artistas saírem do anonimato e finalmente ganharem o
mundo
que nunca torceu pra que eu fosse o artista anônimo
que finalmente ganha o mundo
que nunca torceu pra que eu, enfim, fosse o ganhador
de algo ou alguém

aquele cara que nunca leria os meus textos porque eles
nunca precisariam dos seus olhos pra existir

e você não se emociona,
afinal.

seu amor é uma primavera verdejante

você tem amado nos lugares errados.
olhado pra espelhos que não te
refletem ou refletem tua luz.
[os olhos dele nunca te disseram
uma verdade]
plantado sentimento em solos
que nunca tiveram filhos
entregado coração a terras
que só deram à luz pessoas inférteis
então como, me diz, como, você quer ser amada?

você tem amado em lugares que nunca
viram a luz do sol aquecer a paisagem
e tem entregado conversas a pessoas
que tiveram os ouvidos arrancados pela fúria da
honestidade.

as palavras que sua boca emana
entram por um lado e saem por outro
como carros de corrida perdidos no meio da pista.

você fala, mas ele não te escuta
você ergue os muros e ele, com mãos distraídas,
derruba tudo o que você construiu.

você tem amado em países
onde o amor ainda não é legalizado.
seu partido político ainda não foi
aprovado pra administrar o mundo.
sua entrega, tão grande, não coube nele
que nunca viu uma mulher em paz que dança.

ele não sabe receber uma missão tão grande e forte
quanto a de abraçar o tsunami que você é;
o jardim suspenso que sua beleza exprime
na selva de pedras da vida
no árido que é a geração do desinteresse.

você tem colocado lágrimas em pessoas
que nunca viram um rio chorar
nunca viram uma ressaca do mar
nunca foram a própria ressaca
alagando as casas
transbordando tudo de sentimento

então por que

por que é que você continua nesse caminho
se do solo não sairá nutriente algum pra
sua boca faminta
[seu coração]
se do mar nenhuma onda te fará mais cheia,
transbordante
[ele não tem sido suficiente]
se do coração dele você não receberá nada
a não ser o silêncio de perceber que não entendem
nada do seu amor e do que
ele pode alimentar.

nós nunca daremos certo nesta vida.
eu nunca ouvi seus cantores favoritos
e as músicas do meu celular nunca tocaram em você.

os lugares também falam

não daremos certo nessa vida.
você nasceu às três da manhã na zona sul do Rio
enquanto eu nascia
às três da tarde em São Paulo.

nossas diferenças não são apenas geográficas.

sua cor favorita é laranja, e dela passo
distante em todas as minhas escolhas:
sempre preferi árvores às grandes cidades.

passo por cima de pedras e silêncios
você prefere escutá-los.
sua boca fala mais de trinta e
duas palavras por minuto
[eu já contei]
enquanto tento não me embaralhar
falando duas.
a dislexia fala muito por mim.

você também.

não daremos certo nessa vida.
o único vício que ponho
na boca é sua língua molhada à noite.
enquanto você reza pra um deus que não
conheço vir nos resgatar.

de quem? te escrevo.

você prefere a praia de Ipanema
eu gosto mais do mar do Leblon.
suas mãos procuram lugares cheios pra existir
meu corpo só dança nos vazios.
seu pecado é sorrir demais;
minha tristeza é o meu cerrar de lábios.

mas você não vê que sou sempre triste,
não é?

não daremos certo nesta vida.
você prefere a euforia das noites,
enquanto nelas descanso meu corpo e poetizo.
seus olhos nunca decifram parte alguma
da minha alma
eu poderia transcrever todas as vezes
que você chora sem verbalizar.

você nunca viu uma estrela-cadente.
há uma dormindo ao seu lado na cama
neste exato momento.

você procura argumentos;
eu ainda estou tentando ouvir a sua voz.
você só entende o mundo quando grita
eu preciso da tranquilidade
das coisas pra saber existir.

nós nunca daremos certo nesta vida.
eu nunca ouvi seus cantores favoritos e
as músicas do meu celular
nunca tocaram em você.

converso com um estranho às vezes
há palavras da minha língua que você
desconhece.

nós nunca daremos certo nesta vida.

mas quem sabe em outra, meu bem?
quem sabe em outra.

sede

que nossa carência não
nos engane: beber de
qualquer relação
ainda é estar com fome.

e agora eu estou na cozinha
chorando pelo medo ou
adrenalina de estar em um território que já foi pensado
por duas pessoas
em um espaço que poderia fazer dois corações felizes,
mas que só fará sentido pra um.

no apartamento que conheci sem você

me mudei finalmente pro apartamento
que tanto a gente falava
fica a dois bairros depois do seu
exatos quinze minutos de carro da sua rua
quarenta a pé da sua esquina
séculos de distância entre meu amor e o seu

neste exato momento estou sentado comendo pão com mortadela
bebendo o café da padaria que a gente sempre
reclamava que era cara demais
os mercados estão fechados
é domingo
soltaram fogos no céu pra anunciar que algum time
ganhou o jogo importante
e meu apartamento está uma bagunça
assim como meu espírito

descobri que as paredes do quarto
embora grandes
são pequenas quando penso que daqui em diante terei
de olhá-las sozinho
e que acordar vai ser o momento-resgate da minha
solitude
onde precisarei aprender a viver como alguém que não
se agarra a ninguém
como alguém que olha pela janela e suspende uma
lágrima no céu pedindo a deus que o gosto da solidão
não seja tão amargo assim

eu finalmente me mudei pra um lugar que tinha dito a
você que seria nosso
eu havia pensado em todos os móveis
na cor cinza do sofá e no verde da parede
no preto dos azulejos e no banheiro moderno de que
você tanto gosta

a gente tinha pensado em ter duas televisões
uma pra sala e uma pro quarto
pra quando eu quisesse assistir vôlei e você maratonar
alguma série adolescente
em ter as plantas em cada espaço possível de cada
cômodo possível
tínhamos até combinado: você molharia nos dias
ímpares e eu nos pares
você iria à feira
e eu ao supermercado
você levaria os animais pra passear
e eu cuidaria dos planos
dos boletos

das nossas vidas cotidianas e, enfim, adultas

tínhamos combinado de irmos juntos à loja de material
de construção
de finalmente entender sobre cerâmica e yoga
sobre espiritualidade e esperança
sobre amor e cumplicidade

tantos eram os planos
e eu vim sozinho com eles

eu que, sozinho, abri o portão preto com
as malas e as caixas de papelão com todos os meus
pertences
com nossas fotos e todas as últimas mensagens na caixa
postal
com o diálogo de que moraríamos juntos um dia e todas
as promessas que se jogaram do parapeito da janela e
morreram frouxas no chão

e agora eu estou na cozinha chorando pelo medo ou
adrenalina de estar em um território que já foi pensado
por duas pessoas
em um espaço que poderia fazer dois corações felizes,
mas que só fará sentido pra um
que foi arquitetado pra ser habitado por tantos
estranhos
mas o maior deles não veio pra morar aqui.

a ansiedade é um relógio que
anda lado a lado comigo.
regula quanto falta pra acabar
o dia, se tenho tempo suficiente
pra arrumar toda a bagunça
do quarto – e do peito.
a verdade é que nunca tenho.

sobre ansiedade

é a sensação de não conseguir controlar o próprio
corpo.
o sangue em tempo de consumir o organismo.
os pensamentos em uma corrida desenfreada,
esperando o momento de se chocarem.
[eu tenho medo de que consigam se chocar um dia]
o ar escolhendo outros pulmões pra morar.

a ansiedade é o estranho que pega o mesmo ônibus que
eu, senta-se ao meu lado da janela, me espreme contra
qualquer possibilidade de escape.
me aperta na catraca, me tomando a chance da paz.
ela é o motorista correndo a mais de duzentos
quilômetros por hora em uma ponte
que dá acesso a lugar algum. ela é a janela fechada que
impede todos os passageiros
de sentirem a sensação de vida correndo lá fora.

a perda de visão do que é óbvio e está logo à frente: meus olhos buscam a resposta, o caminho, a possibilidade, e tudo que encontram é uma muralha intransponível. tento enxergar o mundo bonito em suas cores, mas tropeço na ansiedade segurando meus horizontes, me impedindo de continuar.

é a angústia de não viver os primeiros minutos do dia porque o coração agarrou nos pés das semanas seguintes, do ano que vem. tento acompanhar o ritmo com que meus pensamentos correm pro futuro, mas permaneço no presente, com o corpo exausto de tanto existir em lugares imaginários.
meus olhos procuram vidas em situações que só existem na minha cabeça.

e dói, tudo invariavelmente dói.

a ansiedade é um relógio que anda lado a lado comigo.

regula quanto falta pra acabar o dia, se tenho tempo suficiente pra arrumar toda a bagunça do quarto – e do peito. a verdade é que nunca tenho.
sempre faltam os minutos pra eu conseguir alinhar a vida e as expectativas – que, como lobos, insinuam medos em minhas orações.

regula quanto falta pra terminar a comida no prato, pra ouvir resposta da pergunta, pro vácuo que fica pendurado em quaisquer que sejam os diálogos, as viagens e as notícias da televisão.

bato os pés em sinal de que falta algo.
mas o quê?

é este contorcer de pés que dançam uma música cujo restante do corpo desconhece. e neste momento me perco, novamente, em alguma nascente de mim mesmo, em algum lago canadense que nunca fui, em alguma praia pequena de uma cidade distante que só conheci em sonho. a música está mais alta agora, e meus joelhos dançam enquanto tento me concentrar.

é o turbilhão de inseguranças discutindo pra ver quem será a primeira a tirar minha empolgação sobre encontrar alguém. elas conversam sobre maneiras de me tirar de órbita e sempre conseguem. e eu recuo, achando que o problema sou eu. que eu não deveria ter mandado a mensagem, não deveria ter pedido pra ficar, não deveria pensar demais sobre quem nunca me teve na memória.

a ansiedade é o excesso de cor nos meus planos pra amanhã. e eu não sei lidar com tantas probabilidades de uma vez só.
porque se pretendo sair de casa pra comprar pão, minhas células se preparam pra uma grande revolução. qualquer passo é uma grande disputa, qualquer silêncio é capaz de me engolir.

as pernas continuam dançando melodias impossíveis
o ar continua em outros pulmões, enquanto minhas
mãos buscam

o melhor remédio pra respirar.
a ansiedade continua no controle do ônibus a duzentos quilômetros por hora em uma ponte caminhando pra lugar nenhum.

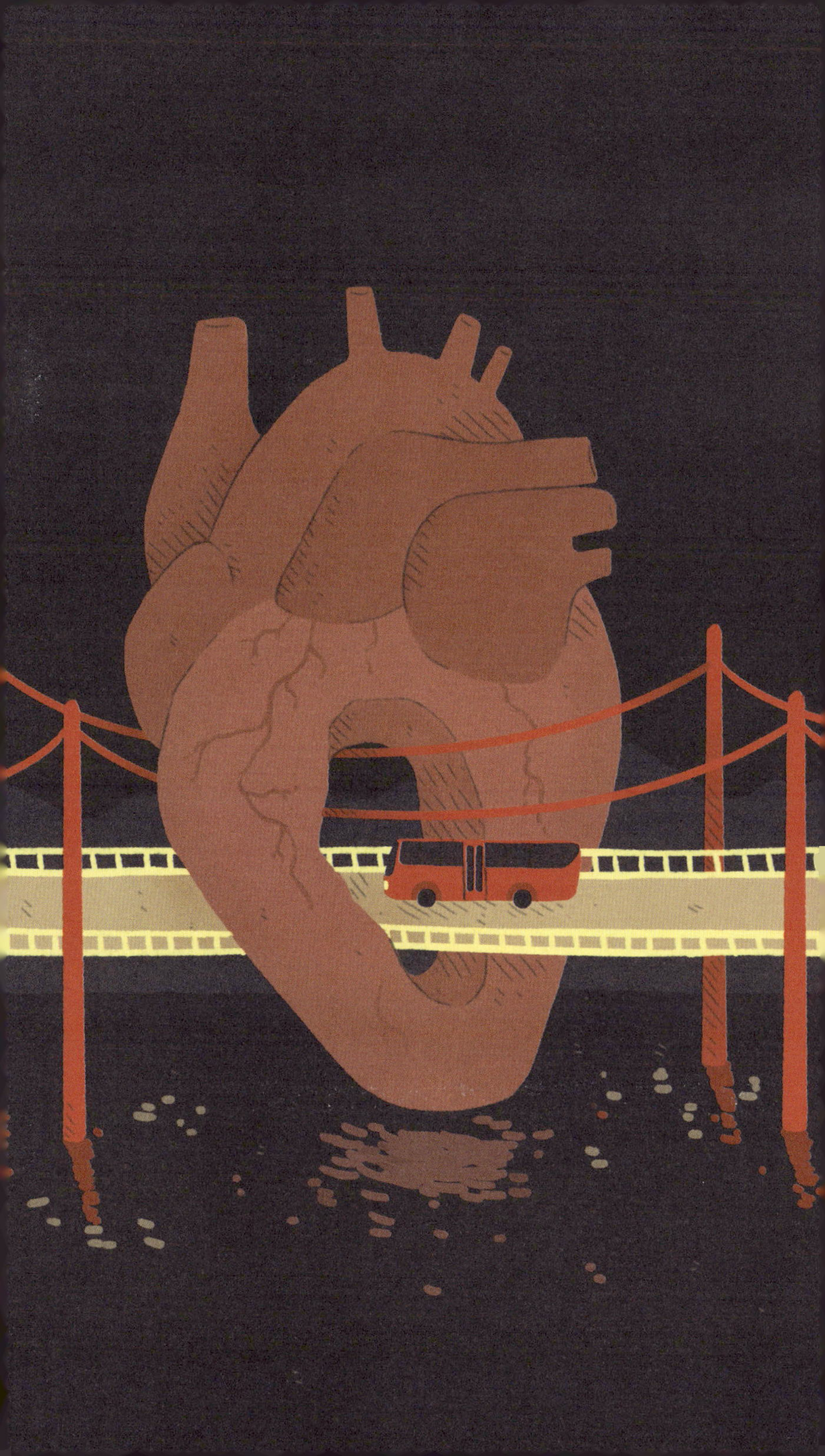

você não gostava de mim, afinal
você gostava dos meus pés
caminhando pelos seus
do meu corpo preenchendo
espaços que outros caras te
deixavam
das minhas mãos protegendo
seu medo de conhecer outras
pessoas.

911

você não gostava de mim
você gostava da minha presença
envelopando sua solidão
alimentando todas as suas angústias com pequenas atenções
colocando na boca das suas frustrações todo o tempo
que eu tinha
todas as emoções que meu corpo carregava

você não gostava de mim
afinal

você gostava dos meus pés caminhando pelos seus
do meu corpo preenchendo espaços que outros caras te
deixavam
das minhas mãos protegendo seu medo de conhecer
outras pessoas

e então de repente você estava lá
com o peito aberto novamente

apontando para o oceano
o continente
o caminho que não era eu

lá estava você
pronto pra se jogar do último andar
daquilo que eu chamo de ego
pronto pra se quebrar inteiro
na desilusão
pronto a me encontrar lá embaixo
pra te dar os primeiros socorros
limpar as eventuais feridas
tratar dos possíveis traumas

mas era eu quem os carregava

era eu quem cuidava de você
pra enfim te ver correr curado a outros amores.

utopia

haverá um tempo em que não precisaremos medir as
palavras
será um
eu te amo
te quero por perto
e *que saudade de você*
pra todo lado.

por todo canto
será um
há quanto tempo eu não te vejo
por onde você esteve?
estou apaixonado.

e sem medir as palavras
conseguiremos aumentá-las
esticá-las
e colocá-las
em pessoas
não em intenções.

a última vez que me senti amado

a última vez que me senti amado
a barba do seu rosto ainda não tinha subido pelo
maxilar, escalado as paredes da sua bochecha
seu rosto de homem ainda não havia se consolidado e
a gente falava sobre viajar à Itália pra noivar ou coisa
assim.
a última vez que me senti amado
seu cachorro tinha pouco menos de dois anos
e corria pela casa como quem não sabe o que a palavra
"descanso" significa

não existia uma obra sendo executada no edifício ao
lado do seu
o Flamengo estava prestes a ser campeão brasileiro

deus parecia menos carente da minha atenção e eu tinha
o gosto doce das coisas que tocavam a pele e se fixavam
na membrana do peito

a última vez que me senti amado
sexo era uma palavra pequena pro que fazíamos na cama
então eu costumava não usar
eu apenas dizia aos meus amigos: "ontem o afeto dançou pelo quarto"
seus desejos eram como crianças insolentes à procura de qualquer brincadeira de rua
aquelas que fogem de casa pra se esconder em qualquer beco
e a diversão, por mais desonesta que fosse, ainda era uma felicidade da qual valia a pena apanhar

eu me senti muito amado por você
e a última vez que teu amor se enrolou no meu pescoço
não havia tantas cicatrizes na minha pele e tantos arranhões no centro dos punhos
eu não andava por aí pensando na insuficiência dos relacionamentos que não preenchem o espaço destinado às grandes paixões
o número 38 cabia em mim

tantas coisas cabiam em mim quando eu me senti amado pela última vez

a blusa vermelha que você deu no dia do meu aniversário e o perfume que agarrou minha nuca por meses depois que foi embora

a risada da sua mãe logo pela manhã, nos acordando antes das nove o preço do pão

agora tudo parece longe e perdido
triste e distante
disforme e sem cor.

a última vez que me senti amado
a gastrite ainda não tinha levantado os braços dentro do
meu estômago
os refluxos não pareciam terremotos prontos pra levar
cidades inteiras
a febre de sentir tudo à flor da pele estava controlada
contida
presa em algum espaço entre um soluço e outro

mas agora o soluço é cotidiano
o soluço é um adolescente que foge de casa sem avisar
os pais
que aparece no meio de uma dor aguda
de um dia solitário do mês de julho
e que espera um deslize pra voltar a aparecer

o soluço é você

que me amou como se amar fosse a
única solução pra amargura do mundo

e era.

10

todas as agonias do universo
residem num coração impossibilitado de amar.

quanto falta pra sermos
engolidos por outro mundo?

quero me reconciliar com a
minha ex-melhor-amiga. dizer
a ela que sempre amei-a e vou
amar, mas precisávamos de
tempo pra respirar – e tivemos,
até demais.

o fim do mundo é todo dia

falta muito pro fim do mundo começar?

quero me despedir dos meus amigos. ligar pra eles
e contar de todos os sonhos que ainda não sonhei,
todos os meus dias tristes e sozinhos, de tudo que
me falta conquistar. quero ouvir suas vozes, o tom
terno ao se despedirem de mim, as piadas mal feitas e
histórias que só nós temos em comum. quero escutar
da Marina que ela finalmente superou o ex-namorado,
e que agora está com outro, extremamente feliz.
ouvir do Carlos que ele ressignificou o amor e está
se amando mais, agora sozinho, e que vai terminar
esse ciclo na própria companhia por decisão acertada
consigo mesmo. escutar da Isa que suas plantas estão
saudáveis, verdinhas, bebendo água todos os dias, sendo
iluminadas pelo sol amarelo-alaranjado que fica entre
cinco e seis horas da tarde.

falta muito pro fim do mundo começar?

quero aprender a costurar minhas próprias roupas pra nunca mais precisar gastar dinheiro com invenções que não preciso. pra depois, quando estiver aperfeiçoado no ofício, tentar costurar todas as feridas que ainda vivem no meu coração, de todas as pessoas que abriram a porta e não vieram fechá-la. dos que se foram, mas não disseram que voltariam. *quem vai embora, dificilmente volta pra se buscar.*

falta muito pro fim do mundo começar?

pretendo aprender uma nova língua antes de tudo ir pro espaço. não porque eu amo este universo, mas porque sempre tive dificuldade em assimilar como falam as outras pessoas. nunca soube memorizar os sujeitos da oração e queria me ater a isso pelo menos enquanto um meteoro não cai aqui ou as guerras do mundo finalmente terminem com a nossa humanidade – já não terminou?

quero mudar todos os móveis de lugar. colocar o sofá onde está a parede da televisão; pôr a cama na janela onde bate sol, substituir a televisão pela estante de livros que ainda não li – e lê-los enquanto temos que ficar presos aqui, nesta dimensão.

será que existe outra dimensão?
realidade paralela?
sonho?

quanto falta pra sermos engolidos por outro mundo?

quero me reconciliar com a minha ex-melhor-
amiga. dizer a ela que sempre a amei e vou amar,
mas precisávamos de tempo pra respirar – e tivemos,
até demais. quero voltar a falar com meu primeiro
namorado, perguntar se ele ainda tem crise de pânico
e se transpira nas costas quando está muito nervoso.
quero falar com quem se tornou desconhecido pra
mim, e se possível me abrir com ele como eu faria com
deus - ainda que ele não atente seus ouvidos às minhas
orações.

preciso falar pra mãe que amo muito quando ela me
olha e sorri do nada. quando me elogia de repente, e diz
que sente orgulho de mim, pois é tão raro acontecer.
vou ligar amanhã pra ela e dizer que nunca senti mágoa
por ela não saber lidar comigo na adolescência, eu era
um adolescente inconsequente mesmo, e tudo bem.

ligar pro pai, contar a ele que o amo demais, e que
compreendo suas mãos cansadas e olhar distante.
o mundo é cruel com quem nasceu com poema nos olhos.

ouvir a voz da avó, sua gargalhada poderia me abraçar
durante a noite.

ver meu desenho animado favorito.

pintar o cabelo de roxo, voltar a conversar com algum
deus que queira me ouvir reclamar da demora pro fim
do mundo, aprender a tocar violão, quem sabe piano,
dar bom dia pra vizinha com quem discuti anos atrás,
voltar a gostar dela, contar quantas estrelas existem na

constelação de Órion, acreditar em signos novamente,
chorar sem me sentir culpado de molhar o chão de casa,
o chão de mim.

falta muito pro fim do mundo começar?
tenho que me arrumar pro acontecimento.

teu nome é
um eco no escuro

eu sabia que você voltaria quando o segundo beijo
não tomasse a forma de um tsunami
quando a transa do dia seguinte não te causasse
tremor nas pernas e suor nos pelos
quando as festas com ele se tornassem vazias
de sentido ou razão

você sempre fica com as partes bonitas,
e eu sigo tentando achar algo que não tenha suas digitais.

o que eu perdi quando você foi embora

primeiro, a *escova de dente*. puta merda, eu adorava aquela escova. comprei na liquidação de fim de ano daquela loja que a gente amava e com ela vieram presilhas pra colocarmos os nossos pertences. agora a memória só pertence a um de nós.

você vai levar outras pessoas pra sua casa, dará a elas a oportunidade de se olharem no espelho, tomarem banho no mesmo cubículo em que eu pacientemente me lavava, criarem histórias onde por muitos meses nós dois criamos. e dói porque eu só queria minha escova de volta. os meus cremes, perfumes, a toalha laranja--avermelhada que eu não sei quem terá usado.

depois, meu *short* verde que comprei em Dublin.
você vai deixá-lo numa gaveta esquecida até pegar mofo, eu sei.
e seu desinteresse e esquecimento por mim vão passar pela falta de zelo com as minhas roupas. mas isso não será o pior nessa fase de ir esquecendo um ao outro:
você terá deixado de lado todos os dias
que nos amamos no seu quarto azul pra dar espaço a outras pessoas e outras histórias e outras transas e, enfim, outros relacionamentos.

estou sozinho em casa agora. com quem será que você está falando sobre como seu último namoro levou um pedaço seu?

daqui sigo sem metade do meu peito.

nossas *fotos* que seu amigo tirou na polaroid.
porra, eu adorava aquelas fotos. você ficou com a mais bonita, do dia em que eu estava com uma blusa listrada amarela e você com a branca de desenho animado. sinto saudade daquela foto e daquela época pois parecíamos muito felizes. ninguém diria que a gente havia chorado dias seguidos
porque não conseguíamos achar um meio-termo entre felicidade e sorte.
porque nos amávamos profundamente, mas sabíamos que aquela relação não passaria do ano seguinte.
(não passamos.)

todas as *séries* que assistimos juntos e que nunca mais serão as mesmas.

grace & frankie, por exemplo. porque eu te viciei nas personagens e te dizia que você era uma mistura das duas enquanto você ria, com o cigarro na boca, dizendo que minha visão sobre você era um pouco engraçada. eu nunca vou te perdoar pelo dia que decidiu vê-la comigo, já que você era ruim de gostar de qualquer que fosse a série. eu nunca vou te perdoar por gostar dela mais do que eu, e por tê-la terminado primeiro, bem na semana
que nosso relacionamento acabou.

eu não consigo mais rir das piadas da série. eu não consigo não chorar ao lembrar de que você também ficou com essa parte nossa que você sempre fica com as partes bonitas e eu sigo tentando achar algo que não tenha suas digitais.

todas as vezes que fizemos *palha italiana* às duas da manhã.
você perguntava se eu gostaria que fizesse um doce e nossos olhos se encontravam na arte de cozinhar de madrugada. você também ficou com essa memória bonita da gente na sua cozinha; eu te agarrando por trás e você se equilibrando entre mexer o chocolate, me olhar, e tentar acertar o ponto da comida. até hoje não *acertamos o ponto da nossa relação*.

eu nunca vou te perdoar por ter deixado este gosto amargo, seco, intragável e solitário de algo que poderia ter dado certo, mas não deu. não tem chocolate algum que cure o sentimento de tristeza que ficou depois que você abriu as asas e saiu voando.

todas as pizzas de terça-feira.
você adorava a massa fina e o gosto igual de todos os sabores. eu ria porque como pode alguém gostar tanto de calabresa a ponto de pedir a mesma pizza sempre e comer como quem está no céu?
as terças-feiras depois disso nunca mais foram as mesmas. sinto falta da sua risada ao chegar com as caixas, a vontade e o amor pela cerimônia.

nunca te perdoarei por ter me viciado em você e em um sabor que nem ao menos gostava.

eu perdi a gente.
eu e você sendo felizes sentados na calçada da rua observando quantas eram as luzes acesas do prédio ao lado. eu perdi você apoiando a perna direita na esquerda na hora de cozinhar. eu perdi você desesperado porque tinha acordado depois do meio-dia de novo. eu perdi sua mãe me acordando porque o cachorro estava querendo brincar. eu perdi as festas que eu nem gostava tanto assim, mas que hoje despertam no meu coração uma espécie de saudade. eu perdi todos os copos de água colocados no parapeito da janela pra me proteger da rinite e me manter hidratado. eu perdi os rinosoros e os remédios pra qualquer crise que eu pudesse ter.

eu perdi você.

eu perdi você e tem sido difícil considerar minha vida sem suas manias chatas e suas reclamações intermináveis.

tem sido difícil considerar viver
sem saber que você existe ao meu lado.
que a vida continua apesar da solidão dura de um amor
que acabou. de um amor que tinha tudo pra ser mais do
que foi se a gente não tivesse tirado os pés do chão e ido
rumo a outros caminhos.

me devolve tudo que eu perdi.

todas as coisas que queríamos
fazer moram no passado
desejando não estarem tão
sozinhas.

Arraial do Cabo ou São Paulo

nossos planos não couberam no tempo.

você não conseguiu me fazer gostar de comida japonesa
enquanto estávamos juntos e eu não consegui te fazer
terminar um livro de poesia

eles eram impossíveis demais pra se vestirem de nossas
próprias vontades

os planos não preencheram a
humanidade que há em nós
a viagem a Arraial do Cabo ficou
no meio do caminho esperando ser recuperada
a viagem de São Paulo estagnou na estrada
e até hoje espera que alguém a pegue pela mão

todas as coisas que queríamos fazer moram no passado
desejando não estarem tão sozinhas

a festa de música eletrônica que eu não fui
o festival de MPB
que sua pele não sentiu
a tatuagem que não fizemos juntos
os porres que não demos quando tivemos a chance
a família que você não conheceu
seus melhores amigos que meus olhos nunca viram
todos os planos que morreram de nadar antes
de chegarem à praia, à vida
a tudo

e agora estão lá, solitários
em alguma parte da nossa história
que não contamos a ninguém
em algum lugar escondido que não
ousamos voltar por medo ou ansiedade
em algum espaço dentro de nós
que está embalado a vácuo

esperando pra se sentirem menos inúteis e
menos impossíveis
pra serem finalmente terminados, destruídos,
ou trazidos de volta.

tantos planos precisam ouvir que acabou
que não há mais sentido algum
e que não voltaremos a eles
planos que pararam no meio do caminho
e nos viram andando como quem perde algo
essencial, mas mesmo assim continua seguindo
agora um sem o outro
sem os planos do amanhã

sem as viagens do próximo ano
e sem as cidades que ergueríamos
com o poder do nosso amor

seguindo.

pra onde?

eu não sei.

não ir às festas
mas fazer questão de deixar sua
presença em todos os
blocos de carnaval
até que não reste fantasia
alguma do amor aqui em casa.

trovoa

ir te perdendo lentamente pelos bairros
te abandonando pelos lugares até que
suas digitais desapareçam dos postes
das vielas
das calçadas

deixar um pouquinho de você pela av. Presidente Vargas
não voltar a ela tão cedo
soltar todas as nossas memórias na praia do Arpoador
Ipanema, Leblon
não mergulhar no infinito do mundo pelos próximos
meses

- preciso me curar do seu cheiro abrindo
caminhos em mim -

desistir de todas as promessas que fizemos em
Copacabana
me esquecer de andar de bicicleta por ali.

ir te perdendo pelas ruas da Lapa
pegar outro ônibus que não passe debaixo dos arcos e
das frustrações
de ter dado tudo errado
nunca mais lembrar que era o bairro escolhido
pra gente morar e ter filhos.

não ir às festas
mas fazer questão de deixar sua presença em todos os
blocos de carnaval
até que não reste fantasia alguma do amor aqui em casa.
deixar de frequentar as discussões sobre nós dois
mas permitir que você siga por aí
vivendo, dançando, sendo livre
pelo Rio de Janeiro
agora sem mim.

sobre abrir a mão e o peito

te amar foi o meu primeiro grande ato de
coragem na vida.
meu segundo foi te deixar partir.

é tão duro bater no peito e bancar a decisão tomada.
é tão duro não poder ligar depois e dizer: eu não estava falando sério. *porque, caramba, eu falava sério demais.*
mas é tão duro ter de seguir adiante com a escolha, e nela se confrontar pelos dias e noites.

a gente terminou em uma quinta-feira

e desde então tenho pedido a deus que todos os meus dias sejam parecidos com nosso último feliz. aquele que vimos série na televisão, depois pedimos comida e, por fim, fizemos amor.

eu sentia que aquele dia poderia ser o último das nossas vidas.

desde então, assim que acordo, peço que a paz daquele momento entranhe meu organismo. porque eu não quero sentir a dor de quinta-feira. a dor de te ver do outro lado da cama e não te reconhecer. de te olhar e perceber que aquela não era a pessoa pela qual eu havia me apaixonado. a dor de sair da sua casa, afoito, apenas com uma mochila e a promessa: *eu não vou mais voltar*.

e é tão duro não voltar.

é tão duro bater no peito e bancar a decisão tomada. é tão duro não poder ligar depois e dizer: *eu não estava falando sério*. porque, caramba, eu falava sério demais. mas é tão duro ter de seguir adiante com a escolha, e se confrontar pelos dias e noites.

eu só queria viver naquele tempo-espaço pra sempre. eu só queria que a minha vida não tivesse se tornado uma sucessão de quintas-feiras: vazias e solitárias. agora tudo é mais difícil sem você. a comida perdeu o sabor, tenho colocado mais sal do que o necessário em tudo o que eu como e mesmo assim nada parece tirar minha língua do lugar. o céu continua bonito, mas as nuvens cinzas retêm melhor minha atenção. a praia perdeu o cheiro do mar: afogo minhas esperanças na água e, ainda assim, volto à superfície drenado.

eu só queria voltar àquele dia em que nada poderia me tirar da cabeça que você era o homem da minha vida. que você era a pessoa escolhida por mim e pelas vidas passadas pra que o mundo não me atingisse de maneira tão brutal; pra que a vida se estendesse sobre nós da maneira mais sublime possível.
o que aconteceu pra gente ter terminado assim? o que houve pra que todo o amor que o último-melhor-dia que passamos juntos fosse por água abaixo?

a vida agora parece uma eterna quinta-feira.

eu pareço estar preso àquele último microssegundo que te vi voltando pro seu quarto enquanto eu pegava a bolsa, entregava as chaves da casa e me despedia da sua mãe.

você parecia tão conformado com a minha partida, como se soubesse que havíamos ruído há muito mais tempo do que eu imaginava. você soube antes de mim que não passaríamos pela primavera, que não teríamos o colo um do outro pra se aconchegar no próximo verão.

foi o que mais doeu. eu saindo da sua casa e você estático. você em silêncio esperando todos os meses que passamos juntos escaparem pelo segundo andar do seu apartamento em um dos piores dias da minha vida. você esperando eu desatar o nó pra, enfim, seguir também.

tudo aconteceu tão rápido que me pergunto se fiz o certo. mas se eu não fizesse ali, naquele momento, quando então?
quando eu teria coragem de vivenciar, sozinho, uma vida repleta de quintas-feiras?

estou pedindo pra que a gente passe logo.
pra que eu esqueça aquele dia.
pra que a dor deixe de latejar
e comece a ir embora.

pra que eu, finalmente, acorde em uma sexta-feira.

conta pra ele que você continua acreditando no amor mesmo depois do fim, mesmo depois de mim, mesmo depois de nós.

está tudo queimando em mim / âmbar

conta de mim pro próximo amor da sua vida.

diga a ele que eu te tirei de casa em um sábado de manhã pra fazer uma trilha que você não queria de jeito nenhum. e que depois desse acontecimento, você me convenceu a fazê-la pelo menos um final de semana de cada mês. era nosso ritual sagrado de coisas-que-só-dariam-certo-entre-a-gente.

conta que eu fui o primeiro cara que te levou a uma feira literária. e que lá você se encantou com os livros, quis comprar todos, mas levou só alguns.
que na viagem de volta pra casa você dormiu nos meus ombros pela primeira vez
e isso me fez chorar horrores
porque sempre fui o sensível da relação.

conta a ele que você me levou na rodoviária no dia que
fui embora do estado
quando ficamos chorando como duas pessoas que
acabaram de se conhecer.

a verdade é que nos conhecíamos demais e chorávamos
porque nos veríamos dali três meses.

conta que passamos três meses separados, mas nos
falamos todos os dias, algo inédito pra mim, que nunca
imaginei poder me conectar tanto a alguém.
conta que quando nos reencontramos, você vestia
o sentimento mais lindo que presenciei no nosso
relacionamento: seu sorriso ergueria os muros de
qualquer cidade destruída.

conta pro próximo amor da sua vida que tivemos muito
mais momentos felizes do que tristes. que nossos dois
carnavais juntos foram os melhores das nossas vidas, e
você nunca se divertiu tanto como quando comigo.
que em um dos dias nossos pés incharam de tanto que
dançamos na rua.

que tomamos banho de chuva, de glitter e de amor.

conta que você me olhava longe em qualquer festa e
eu me sentia a pessoa mais amada e segura do mundo.
e que eu te mantinha por perto porque estar longe de
você, mesmo que a metros, me deixava muito inseguro.
você era a segurança dos meus dias, o afeto no meio das
minhas indecisões, a paz no instante das minhas guerras.

conta pro próximo amor da sua vida o quanto eu
adorava tirar fotos suas.

do nada, no meio de uma conversa, do jantar,
de qualquer momento, lá estava eu,
fotografando seus olhos, rosto, coração.
e que você detestava porque nunca se sentiu bonito o
bastante ou atraente o suficiente,
mas pra mim era a pessoa mais linda e incrível de todo
o planeta.

conta pra ele da vez que você chorou de felicidade comigo
e que ficava se desculpando por tamanha sensibilidade.
conta que você é chorão quando está muito feliz, mas
são raros os momentos que se abre,
que se deixa ser tocado lá no íntimo, que se permite ser
humano.

conta que cheguei pouquíssimas vezes a você de
maneira completa,
e que talvez esse tenha sido o problema.

que eu estava aqui de coração, braços e pulmão abertos
e que muitas vezes te pedi pra ser honesto comigo,
mas tudo o que recebi foram desconversas e assim
seguimos
rumo ao precipício de nós mesmos.

conta a ele que, enfim, terminamos como um casal
maduro. orgulhe-se disso.
conta que nossa conversa aconteceu de maneira natural,
na sala da sua casa, enquanto eu arrumava as malas

e tentava segurar o choro de saber que nunca mais estaríamos
na mesma frequência afetiva novamente, que sequer sabíamos se estávamos.
e que você segurou o choro, conteve as lágrimas,
me esperou sair pra se debulhar, gritar e perder o ar também.

conta pra ele que você continua acreditando no amor mesmo depois do fim, mesmo depois de mim, mesmo depois de nós.

e que isso é sinal de que temos muita coisa da qual podemos nos orgulhar.

oro pelo momento que você vai bater na porta do apartamento, de surpresa, pra dizer que não se conteve em tamanha solidão e que embora a gente seja muito diferente, há um lugar de felicidade esperando por nós.

falei de você pro meu terapeuta

chorei metade da sessão de terapia hoje.

é difícil acreditar que a gente terminou. estou esperando um sinal divino, grandioso – um pássaro na janela, uma explosão na porta de casa, um telefonema – algo que me acorde do coma que é sentir que ainda estamos conectados.

estamos?

tem uma parte minha contigo, eu sei que tem.
o macarrão que nunca ninguém vai fazer como eu fazia, a pimenta sobressaltada que você detestava, mas ainda assim comia e pedia por mais, todos os filmes que eu te indicava, mesmo você detestando tudo que levasse a palavra *culto* no meio, a parte de acordar cedo que gerou tantas e tantas vezes brigas e mais brigas.

chorei quase uma hora na terapia hoje.

porque ainda fico te esperando mandar qualquer mensagem no celular pra dizer que pensou em mim, que eu fui o homem da sua vida, e que em algum outro momento, mais à frente, nos encontraremos pra acertar as dúvidas e ajeitar as projeções.

oro pelo momento que você vai bater na porta do apartamento, de surpresa, pra dizer que não se conteve em tamanha solidão e que embora a gente seja muito diferente, há um lugar de felicidade esperando por nós.

e eu fiquei em silêncio na outra parte da sessão porque não conseguia nomear
o tamanho da dor que passeava pelo meu corpo inteiro.

hoje foi a primeira vez que chorei você.

às seis horas da manhã tive uma crise de ansiedade, meu estômago todo parecia receber milhares de pessoas que dançavam nele. meu corpo era uma igreja tomada de fiéis fervorosos por deus ou pelo que eu chamo de amor. passei o resto do dia chorando, esfregando as costas das mãos no nariz, procurando alguma explicação pro que aconteceu entre nós. por onde nos perdemos e como chegamos ao final de nós mesmos e dos nossos esgotamentos.

foi cortando cebola que eu senti que você não viria. que a adrenalina durante o dia era a expectativa me comendo vivo pela sua chegada. pra gente retomar o amor, reaver nosso relacionamento, reconstruir uma espécie de caminho.

mas que caminho? **que caminho teríamos nós**
se a gente se perdeu e nunca mais voltamos?

chorei hoje na terapia porque te esperei à porta
por horas a fio

e mesmo assim você não veio.

eu não sei como fazer meu
cérebro entender que não
estamos mais juntos.

várias queixas

eu não sei como fazer meu cérebro entender que não estamos mais juntos. que você não é mais a pessoa que dorme doze horas ao meu lado e de vez em quando fica torto na cama me impedindo de manter a postura correta do sono. que você não é mais a pessoa responsável por buscar o pão enquanto eu faço o café, que você não é mais a pessoa que traz água enquanto eu arrumo a cama, que você não é mais quem me liga de noite e pergunta como foi meu dia, se eu preciso de alguma coisa, se eu preciso de você. qual chave eu preciso virar pro meu cérebro entender que não tem um segundo lugar à mesa, que agora eu almoço e janto sozinho, ouvindo o barulho dos vizinhos sendo felizes em suas rotinas? que não existe mais você preparando o café de manhã enquanto eu espero meu humor assentar, que você não é mais o responsável por me dizer onde perdi minhas próprias coisas, porque sou incapaz de cuidar de mim como uma pessoa adulta, que você nunca mais vai achar meus anéis debaixo da cama ou meus colares dentro de gavetas inimagináveis ou roupas que deixei em lugares que não descobriria se não fosse por você. como dizer a ele que todo esse processo químico tem me destruído e que nunca mais eu dormi minimamente bem, que de madrugada meu corpo inteiro treme de solidão e ausência, e que tudo agora está meio sem gosto, porque eu não coloco sal na comida, e você coloca muito? porra, eu sinto falta até do sal que seus dedos despejavam sem a menor culpa, eu rindo e pensando: como pode até nisso ele ser diferente de mim? este texto não faz nenhum sentido, não faz o menor sentido eu escrever isto se no fim das contas o pensamento termina em você, você, você, você, droga, drog.................

esperar é se reconhecer na solidão

te espero porque esperar
é me eximir da culpa de
permanecer mesmo sabendo
que você não vem

pois te esperar
ainda é ser menos sozinho: aceno
e converso com as falsas
esperanças que deixou
aqui.

bate uma vontade de ligar pra mãe, pedir colo, dizer que as coisas saíram do controle e que o amor foi embora de você.

todo fim
é uma espécie de renúncia

primeiro é uma ausência filha da puta.

parece que você perdeu uma parte de si.

fica um zunido na orelha como se uma bomba tivesse explodido segundos antes e sua cabeça fosse a premiada pra escutar aquele barulho infernal. e aí você se levanta da cama, com o corpo quente, o sangue percorrendo as veias em sua primeira obrigação diária, as memórias te socando logo pela manhã e te dando um bom-dia que mais parece um mal dia, e depois o café que te lembra tanto ele, porque, merda, ele fazia de uma maneira bem específica. e pelo resto do dia aquele barulho, aquela falta, aquela ausência de não saber o que fazer, como fazer, pra onde ir.

bate uma vontade de ligar pra mãe, pedir colo, dizer que as coisas saíram do controle e que o amor foi embora de você, uma vontade de correr de pijama pra casa da melhor amiga e ficar lá, morar com ela, não sair debaixo da asa nunca mais.

bate uma vontade de sair pra rua, andar de bicicleta, fazer qualquer malabarismo, desenvolver qualquer estratégia que não te lembre ele, porque se você ficar parada, em casa, preparando o café, preparando a carne, fazendo o arroz, ele continuará ali, dançando no seu ouvido. dançando no buraco que ficou no seu coração depois que ele foi embora.

pois ele te compreendia tanto, sabia tanto do que se passava contigo em dias macilentos, que agora que você acordou, de novo, sozinha, não tem nada, não tem ele, não tem apoio nenhum. e lá fora o silêncio ensurdecedor de todas as pessoas que estão trabalhando, confinadas em si mesmas, presas em suas próprias tormentas.

é tanta dor que você sente, ultrapassa o físico, mexe com o químico, chega ao espiritual.

você se sente fraca, dependente, *desiluminada*, desamparada no seio do universo, nos códigos de etiqueta sobre como seguir em frente, nas reuniões sociais do trabalho. e tem vergonha de contar pros amigos, de desvelar a história pros mais íntimos, de dizer pra terapeuta: terminei.

depois de meses arrastando o relacionamento, depois de meses tentando e se cansando, finalmente deu. finalmente acabou. finalmente ele arrumou as malas, colocou todas as roupas dentro e partiu. ele saiu da sua vida e o zunido ficou martelando na sua orelha como uma abelha à procura de mel.

você se sente sem a muleta que tinha pra suportar os dias, sem o travesseiro pra digerir as noites, sem a pessoa que estaria na saúde e na doença até que qualquer situação mais grave os afastasse.

mas não foi nada grave. não foi nada muito profundo ou idílico, não foi nenhuma traição ou mentira ou culpa. não foi nada que fizesse você ficar com raiva: foi a vida. o desgaste cotidiano de se ver com alguém que já não fazia mais sentido, já não fazia mais sentir. foi olhar pra ele e de repente se perceber incompreendida, desconectada e mais sozinha do que pássaro distante do voo.

e existe solidão pior do que a de se ver longe do ninho e de si?

e por essa razão você acordou hoje tão triste, tão sem rumo. porque dói encerrar ciclos, namoros e situações que ainda nos sacodem por dentro. dói terminar jornadas com quem a gente jurava por todos os deuses que passaríamos o resto das nossas vidas e, se possível, as próximas também.

é uma ausência filha da puta. que vai durar por quanto tempo precisar. que vai latejar e fazer barulho no seu cérebro quantas vezes forem necessárias pra você entender que a vida é sobre ir se curando aos pouquinhos, primeiro se levantando da cama, depois preparando o próprio café, e, por fim, ligando pra ele pra tomar sua felicidade e vida de volta.

porque, no final do dia e de tudo, elas ainda precisam de você.

é que acontece sempre a mesma coisa.

enquanto eu sou um prédio desabando, você é uma casa em construção.
pareço estar cedendo enquanto você segue a vida como se eu não tivesse sido o responsável por ajeitar os cômodos, arrumar alguns objetos, limpar o ar.

tudo o que eu te peço

você me liga segunda-feira porque sabe que é quando a solidão aperta.
você sabe que é o pior dia da semana pra mim,
se aproveita da fragilidade do meu coração desnudo, e diz tudo o que eu queria ouvir
e nunca pude.

suas ações agora parecem certas. seu jogo de voltar pra minha vida, agora que não temos mais nada, quase inofensivo.

eu sei do que você é capaz. do quanto pode mudar pra ter aquilo que quer.

eu te atendo:

> – *opa, tudo bem?*
> – *tudo sim, e você? como está o amor da minha vida?*

você nunca havia me chamado de amor da sua vida antes.

o que mudou? por que isso agora?

o que mais devo esperar da sua boca que por tanto tempo existiu silenciosa neste relacionamento; que durante tanto tempo viu meu corpo se contorcendo à espera do amor e mesmo assim permaneceu cerrada?

– eu vou bem, e você?
– eu vou bem também, com saudade. como estão as coisas pra você?

e por que agora você quer saber como estão as coisas pra mim?

elas estão uma merda, cara. nunca chorei tanto, nunca estive tão sozinho, meus amigos estão longe, meus pais em outro estado, e você ainda me pergunta como estão as coisas. como elas deveriam estar? como eu deveria reagir ao nosso término, ao vazio de todos os dias, à cama desforrada sem você ao lado pra me acordar?

– vão ótimas, entrei naquele curso que tinha te contado
– não brinca! que bom...
– sim, comecei a estudar francês também, tenho bebido pra desafogar os pensamentos
– eu também... quem sabe a gente se esbarre por aí qualquer dia
– é, vamos ver

minha vontade é de chorar, mas se o fizer você vai
perceber que a vida pra mim ainda não andou como
andou pra você.

eu ouvi que suas mãos já tocaram outros corpos e
vestiu outras sensações, enquanto fico aqui, procurando
remendar o que sobrou das minhas entregas a você.

é que acontece sempre a mesma coisa.

enquanto eu sou um prédio desabando, você é uma casa
em construção.
pareço estar cedendo enquanto você segue a vida
como se eu não tivesse sido o responsável por ajeitar os
cômodos, arrumar alguns objetos, limpar o ar.

respiro fundo, engulo o choro, a vontade seca de
desligar na sua cara, o espanto de ter atendido sua
ligação, a presença de alguém que mesmo falando
comigo parece ausente, em outro país:

– *tudo bem, agora preciso ir*

desligo.

ele sabe que eu não me referia à ligação.

eu estava indo pra nunca mais voltar.

você já não faz parte da
paisagem: te desconhecer
foi percorrer dez vezes o mesmo
trajeto e ter dificuldade em
aceitar o final da corrida
o final de nós dois.

esquecer não é uma corrida

tudo bem que você já está sendo feliz
tão certo, tão cedo, com alguém.
eu que fiquei pelo meio do caminho esperando
que não tivesse andado tão depressa assim.
você sempre correu mais rápido que eu.

tudo bem que o gosto dele já prendeu na tua língua e já
conhece o conforto dos teus pulmões.
eu tentei te substituir com outros perfumes,
mas minhas células nunca foram receptivas
a novas pessoas.
você sempre teve facilidade em existir
nos organismos alheios.

tudo bem se ele já te conhece mais do que eu um dia
pude
[é que estou me desfazendo do encontro que nos gerou]
estou voltando pra o começo de tudo

e você já não faz parte da paisagem: te desconhecer
foi percorrer dez vezes o mesmo trajeto
e ter dificuldade em aceitar o final da corrida
o final de nós dois.

tudo bem que você tem um filme favorito com ele agora
que chora baixinho no quarto e conta sobre todas as
feridas,
onde dói, onde deixou de doer
e que no calor da emoção diz *eu te amo*, ainda que meu
nome
esteja no canto inferior direito da sua boca sedenta por
terminar nossa história antes que ela acabe contigo,
ainda que meu nome seja seu calcanhar de aquiles
na corrida das relações.

mas não te culpo.
também tenho arestas pra aparar.

pra quem você revira os olhos e,
logo depois do sexo, toma banho
pra se limpar da traição, do
desapontamento e da minha
imagem que continua dançando
na sua cabeça?

perguntas pra quando você me libertar

o que você fez com o amor que dizia sentir por mim três semanas atrás?

em qual sexo você desconta dessa vez toda a raiva ou vazio que carrega e que eu não fui suficiente pra desanuviar?

como é que você goza, agora que não tem as minhas mãos pra fazer o trabalho de tirar de você sentimentos bons, que antes de nós se afogavam aí dentro, sem serem vistos, sequer notados?

quem descobre em você motivos pra insistir?

quem é a pessoa que te olha com a verdade de quem vai te querer fazer feliz?

porque eu quis tanto te fazer feliz, e estava disposto a procurar mais fundo,
a tocar com mais afeto, a ser mais amor.

eu estava disposto a te enxergar sem as armadilhas que a comodidade traz, sem os jogos, as meias palavras. eu estava disposto a ver o pior de você, todos os seus demônios, e te consolar nas noites de insônia, no inferno astral, enquanto o país se acabava economicamente, enquanto todo mundo estava trancado em suas casas, esperando pelo pior.

você foi o meu

você foi o pior que me aconteceu

mas me diz agora, me conta, onde você despeja todas as lágrimas que guarda a sete chaves? em quem você despeja toda a frustração de ser uma pessoa que não se arrisca, que não consegue observar no outro a capacidade infinita, ilimitada e pura de amar?

porque eu estive aqui tentando da melhor maneira que pude. tentando te puxar pra fora do buraco, do breu de onde você decidiu viver com tanto afinco. eu tentei tanto te trazer pra um mundo onde os vícios não te consumissem, onde a única forma de viajar sem sair do lugar era amando e se entregando.

mas não era a mim que você se entregava.
não era a mim que os seus sacrifícios beijavam os pés.

não era pra mim que o seu amor voltava, depois de uma
noite de frio e de tormenta.
não era na minha cama onde você descansava a
ansiedade de não conseguir ser feliz.

o que você fez com o amor agora que acabou?

pra quem você revira os olhos e, logo depois do sexo,
toma banho pra se limpar da traição,
do desapontamento e da minha imagem que continua
dançando na sua cabeça?

da minha imagem tentando te resgatar dos vícios
das noites mal dormidas
e dessa solidão amarga, cruel e que não vai passar nem
tão cedo?

dessa solidão que tem meu nome?

e me dói ver que rápido você
deixou eu, ilha pequena,
pra mais rápido ainda ser
furacão em outra pessoa, em
outro lugar.

sem título I

o que mais dói nessa história é que eu nem consigo te
culpar por seguir em frente
é isso que pessoas adultas fazem: seguem.

elas seguem precisando pagar o aluguel quase vencido.
seguem porque precisam de serotonina e da sensação
de aproveitar a vida ao máximo; beijando na boca de
pessoas desconhecidas que nunca saberão sobre os
traumas e as noites de insônia que enfrentaram.

o que dói é que eu nem posso bater aí na porta da
sua casa e gritar contigo. dizer que você me magoou
muitíssimo ao encostar sua mão na mão dele, seu peito
nas costas dele, seu coração na ponta de seus dedos.

o que dói é que eu não posso te determinar uma
maneira mais correta de me esquecer ou me apagar de
você; que não posso desenhar formas mais saudáveis e
menos dolorosas pra você me expelir da sua vida, me
expulsar das suas projeções.

eu simplesmente não posso te ligar e te pedir: não faz assim, não faz assim porque dói mais – me dói mais.

mas que doeu, doeu. ter meu nome esquecido pelo seu desejo apenas dias depois de termos decidido quem ficaria com quais livros e por quê. doeu ter visto um sorriso no teu rosto com alguém que você tinha acabado de conhecer – porque eu já fui aquela pessoa, eu já ocupei aquele lugar de adoração e de certeza. doeu ter visto você começar a construir algo tão maduro e grande em tão pouco tempo, enquanto eu estava aqui, reciclando os caquinhos do que você deixou.

você me destruiu.

como um furacão inesperado que aparece com nome de gente que passa e destrói tudo sem nenhuma consideração. você acabou com todas as possibilidades que existiam em mim de acreditar em alguém novamente, em algo novamente.

e me dói ver que rápido você deixou eu, ilha pequena, pra mais rápido ainda ser furacão em outra pessoa, em outro lugar.

que tão rapidamente você desfez suas malas, os gestos, os presentes, as fotos da câmera analógica, as camisetas que compramos na nossa primeira viagem, pra mais rápido ainda ser outro, ser em outro, ser com outro.

doeu ter visto que a marca que te fiz desapareceu logo no mês seguinte, enquanto você em mim perdurou pelo verão, passou pelo outono, inverno, e continuou florescendo na primavera.

doeu sentir que o processo pra você foi fácil, enquanto dentro de mim ainda existiam folhas secas caindo e manchando todo o cenário: depois de você não quis tão cedo me doar a alguém. não permiti a ninguém ver minha nudez e fragilidade até que me curasse por completo dos nós; até que seu nome em mim também não passasse de um símbolo escrito sem significado algum.

e doeu, enfim, perceber que ninguém teve culpa nessa história.

que a gente precisou seguir em frente, e seguir às vezes é abandonar tudo, tudo mesmo, e começar do zero.

que às vezes, por melhor que tenha sido o relacionamento, o melhor a se fazer é deixar de ser larva, abandonar o casulo e se transformar em uma bonita e independente criatura.

negação

me recuso a chorar você
meu rosto não merece conhecer o motivo das minhas angústias.

nós encontramos o amor / abençoado

meu maior medo é não conseguir amar ninguém com a capacidade infinita que eu te amei. eu tenho medo de nunca mais conseguir abrir meu peito e ser de verdade, porque com você eu fui tanto, eu dei tanto, eu entreguei tanto, que no final não restou nada nem pra mim.

tenho medo de não conseguir sentir um terço do que senti contigo – da adrenalina das festas em pleno verão carioca às sensações que a noite trazia com a gente: você me beijando quente o corpo molhado de suor; a gente tentando pular o portão da sua casa como dois adolescentes inconsequentes; o sexo sendo a aventura mais incrível de duas pessoas que conheciam bem o caminho inescrupuloso um do outro.

meu maior medo é ser chato, ser moral demais, ser sem sabor, sem vida.

eu fui a tantos lugares com você, e a gente não precisava mover um palmo. eu me aventurei de maneiras tão distintas, cresci em tantos níveis, que meu medo é que meu amor por você seja uma espécie de fronteira intransponível pra que eu conheça e sinta outros tipos de afeto.

te confesso que morro de medo de nunca mais sentir a faísca que você me deu; de não me sentir como um fogo de artifício explodindo no Arpoador; de ser aquela adrenalina que corre na veia de quem experimenta o amor pela primeira vez.

não quero um amor como o seu – eu não quero sentir o amor como senti por você. eu sei, é tudo diferente, cada relação é uma estrela nascendo em alguma nova constelação; cada relação é como o nascimento de uma nova onda no mar, mas você foi tão importante que tenho medo de jamais encontrar alguém que faça meu coração acender novamente, dançar pelo quarto enquanto a vida vai acontecendo nas ruas, nos carros, nos apartamentos; enquanto o mundo vai girando um pouco mais, escurecendo céus e amanhecendo outros... eu tenho medo de nunca mais ser bom, da minha energia pro amor ter se esvaído, da minha reserva infinita e do meu sentir infinito não darem conta da próxima pessoa que me avistar pelo caminho.

e tenho medo de você também nunca mais conseguir achar alguém como eu. parceiro de crime. que assaltaria um banco por você, correria maratonas, andaria a pé do norte ao sul do Brasil, que fugiria só com a roupa do corpo sem nem questionar pra onde.

meu temor é que o mundo nunca mais veja o amor em pessoas como nós.

que o mundo nunca mais presenteie dois seres humanos com a bênção de um amor impossível – mas tão bom, tão mágico, e tão sem fim, que mesmo depois dele, mesmo depois da linha de chegada, mesmo depois dos limites geográficos, não acaba nunca.

meu maior medo é perceber que o amor que eu sinto por você permanecerá aqui pra sempre.

sou quem chora agora às três da
manhã
enquanto outra pessoa já dorme
ao seu lado, sente o cheiro dos
lençóis e escuta, pacientemente,
as batidas do seu coração.

na galeria de fotos do celular

eu tô deste lado da cidade sozinho, sem você, revendo nossas fotos no celular de meses atrás, tentando entender em qual momento específico a gente se perdeu.

olho pras fotos de março e parecíamos tão felizes, tão cheios de vida.

olho pra abril e éramos o casal mais feliz de São Paulo.

vejo seu sorriso e o meu no mês de junho e não sei como chegamos aqui, com tanta mágoa afogada no peito.

qual percurso nossos pés fizeram pra estarmos aqui, nesta parte da vida em que diálogo algum nos conecta?

se você me permite dizer, acredito que tenhamos nos perdido lá pra agosto, bem no meio do nosso relacionamento que durou cerca de um ano e três meses. naquela época eu já te sentia diferente, sem entender muito bem por que continuava comigo. eu sentia que talvez o amor já não fosse o suficiente pra alimentar sua barriga ou encher seus olhos de lágrimas. que você já não estava na mesma frequência que eu, e que em todas as nossas batalhas eu lutava sozinho, sem você.

se eu pudesse chutar o momento em que a gente terminou, foi ali. minhas mãos atadas vendo você puxar a corda e desconectar o fio. você virando o rosto pra olhar outras paisagens e eu sem conseguir enxergar o mundo, porque você o ocupava inteiro.

lembro da discussão onde ficamos dois dias sem se falar e foi o pior silêncio que já ouvi. foi como se a solidão ficasse martelando na minha cabeça que a partir daquele momento seríamos só eu e eu mesmo, não importasse o tamanho da necessidade de me curar da mágoa de te perceber outra pessoa..

e eu fiz tanto.

eu tentei tanto por mim e por você.

eu tentei esta relação ficando mais tempo com você do que comigo.

eu corri pra longe de mim, entende? me afastei mesmo.

tanto, que no final de nós eu me olhava no espelho e não me reconhecia.

eu me olhava no espelho e enxergava mais de você em mim do que eu; suas projeções todas pintadas na minha pele; seus traços no meu rosto e todos os seus vícios sobre meus ombros, pesando toda a minha existência.

eu tentei tanto ser uma pessoa diferente do que naturalmente era só pra caber no seu universo; pra tentar vestir todas as suas expectativas e, enfim, ser feliz.

eu tentei me moldar à sua sombra, comer o mesmo que você comia, ir às mesmas festas, beber de todas as suas frustrações – ainda que isso me deixasse com ainda mais sede.

eu me diminuí tanto pra servir de colete pra todos os imprevistos que pudessem te machucar; pra todos os cigarros que chegariam à sua boca e te viciariam ainda mais.

e agora, olhando essas fotos no celular, de você sorrindo e me achando o cara mais incrível do mundo; e eu te olhando, te segurando nos braços; tendo certeza do amor, me pergunto onde é que eu fui parar.

em qual parte da corrida, da disputa, da maratona, do caminho, eu me achei.

aonde é que você terminou e onde é que eu fiquei.
onde é que você chegou e quais partes da paisagem eu não conheci por culpa sua.

o que você aproveitou enquanto eu tentava te salvar.

pois sou quem chora agora às três da manhã enquanto outra pessoa já dorme ao seu lado, sente o cheiro dos lençóis e escuta, pacientemente, as batidas do seu coração.

porque é você quem está do outro lado da cidade, aproveitando a juventude de uma vida solteiro enquanto estou aqui, procurando onde é que tudo se perdeu e onde é que o amor se transformou em solidão.

vejo nossas fotos no celular e não nos reconheço.

eu não conhecia essa versão
egoísta de você, que dança com
a língua na boca de outros
enquanto escorrego minhas
emoções pelas escadas do
apartamento em que você me
jurou amor.

todas as perguntas que dançam quando alguém vai embora

só me responde uma coisa:

você me amou de verdade?

eu alguma vez fui real pra você?

alguma vez você conseguiu olhar pra mim e me enxergar cem por cento humano, com todas as falhas e erros e acertos e vontade de acertar?

você olhou pra mim, em algum momento, e enxergou na minha verdade um motivo de continuar?

porque essa pergunta fica martelando na minha cabeça todas as noites antes de dormir. como alguém que procura por respostas em becos sem saída e ruas que não dão pra lugar nenhum.

como orações pra deuses inexistentes, como quem *grita grita grita* e nem o eco da própria voz é capaz de escutar.

essa pergunta é a única presença que me acompanha durante a faxina de casa, enquanto lavo a louça, corto os legumes, preparo o arroz. tem uma presença que me incomoda quando todos estão em silêncio ou enquanto a cidade grita, aliviada, a volta ao trabalho depois da quarentena: *ele me amou de verdade?*

e eu nunca vou me perdoar ou te perdoar por me deixar em dúvida. por ter ido embora e aberto feridas na minha pele das quais não me recuperarei em anos.

há uma dúvida me comendo vivo, pedindo pra ser respondida, pra ser sanada. uma ferida que não cicatriza e que remédio algum ameniza: há uma voz na minha cabeça gritando, esperneando, dançando como nunca: *será que ele me amou de verdade?*

te pergunto agora, depois de passar dias chorando na sala de casa sem nenhum telefonema de "tá tudo bem?" ou mensagem de "como vai você?" ou sinal de "me perdoa pela mágoa que te causei". porque você não tem obrigação, é verdade, de se preocupar em como deixou o território por aqui, mas puta merda, essa versão de você eu não conhecia.

eu não conhecia essa versão despreocupada, silenciosa, que me deixou aqui, neste lugar, sem ter pra onde ir ou com quem rumorejar toda a dor que me causou.

eu não conhecia essa tua versão seca, de costas viradas, que segue em frente duro, sem se preocupar em como desaguou meus sonhos e crença no amor no lodo, na água suja da desesperança em tudo.

eu não conhecia essa versão egoísta de você, que dança com a língua na boca de outros enquanto escorrego minhas emoções pelas escadas do apartamento em que você me jurou amor.

te pergunto se algum dia você me amou, pois acredito que esse seja o ápice de qualquer relação: quando ambos estão na mesma frequência.

pra gente, ela existiu?

existiu o momento em que os dois estavam no mesmo
lugar do amor
no mesmo lugar da adoração
no mesmo lugar da entrega?

me responde antes que eu te apague completamente de mim.

antes que este texto suma e a gente finja
que isso tudo não existiu.

não somos atalhos um do outro

e se voltar for menos caminho
do que seguir
e o vício por tudo que é mais fácil
me fazer chegar a você novamente

prometa não me aceitar de volta
prometa não tornar tudo
tão difícil outra vez.

eu te contei que meu maior
medo era me sentir insuficiente,
minúsculo, sem autoestima, e
foi lá, exatamente lá, onde o seu
egoísmo me socou.

histórias sobre como dói no mesmo lugar

te contei que havia sido muito machucado.
que tinha vindo pra essa relação com tantos traumas e tantas marcas que seria difícil me recuperar de novo de outra desilusão.
e então você bateu no mesmo lugar, colocou seu dedo na mesma ferida e me fez perder o ar pelo mesmo motivo.

depois do que você me disse naquela quarta-feira pouco antes das nossas peles se tocarem pela última vez, o mundo desabou em mim.
e não só o mundo, como todas as expectativas que eu construí sobre você. e não só as expectativas bem construídas, mas também todas as vezes que contei de você aos meus amigos dizendo que era diferente do primeiro, daquele meu ex-namorado que acabou com o meu psicológico, e que agora, quase como num padrão, se comportava da mesma maneira.

como contar à minha mãe que você reproduziu o mesmo comportamento,
fugiu da mesma forma e puxou as mesmas lágrimas dos meus olhos?

com as mãos de quem não tem responsabilidade afetiva alguma.
mãos de quem desaprendeu a ser de verdade, a ser honesto e a ser leal.

eu te contei que meu maior medo era me sentir insuficiente, minúsculo, sem autoestima, e foi lá, exatamente lá, onde o seu egoísmo me socou.
foi exatamente no mesmo país, estado, cidade e bairro.
você me atingiu na mesma rua e casa onde tantos outros o fizeram.

o seu egoísmo, pedindo pra você expelir o prazer, arregalar os olhos e gemer
feito um animal sozinho, me afastou de tudo que eu imaginei pra nós.
me afastou de tudo que poderia acontecer se você não tivesse ido àquele mesmo lugar
de fragilidade e de dor no qual eu me encontrava
o qual eu te permiti visitar.

eu nunca deveria ter me aberto pra você.

você sabia que, me elevando às
melhores e maiores sensações,
eu não teria, depois, como dizer
o quão ruim você foi. mas veja
bem: eu estava no topo de algo
que me faria despencar e me
quebrar em mil pedacinhos.

no último andar do prédio onde tudo acontece

ontem eu não consegui dormir.

coloquei os fones de ouvido, peguei os travesseiros, pressionei-os contra o rosto e chorei muito.
fazia tempo que não me permitia chorar tudo o que você fez comigo. que simplesmente não conseguia expulsar todas as mágoas que nasceram em mim depois de você me olhar nos olhos e dizer que sua boca havia atravessado a dimensão do respeito pra tocar outra, tão desconhecida quanto o dia de amanhã.

as palavras saindo da sua boca entraram em mim e nadaram no ressentimento que cresceu enquanto tentava se explicar. meus ouvidos queimaram vulcões asiáticos enquanto dizia o quanto me amava, que havia sido um erro – porque sempre é – e que o seu amor por mim poderia superar tudo isso.

superar o quê? te pergunto

ontem não consegui dormir com uma, senão a pior das sensações que já carreguei no peito. me sinto sozinho, cansado, e agora, depois desse fim traumático, duro, silencioso, me sinto ainda pior.

parece que tô me afogando o tempo inteiro, pedindo ajuda com os braços estendidos pra quem quer que consiga me enxergar, mas as janelas do apartamento estão fechadas, e com a pandemia, ninguém escuta.

eu não consigo falar pras minhas amigas, nem mesmo pra minha mãe, como você me machucou. não consigo contar a elas que a pessoa pra quem construí um altar tão bonito, foi tão maldosa comigo
que me arrancou de um chão pra me jogar da sacada de um prédio no meio da cidade grande.

você me levou pra cima de uma construção porque sabia que lá eu estaria sozinho, sem conseguir pedir ajuda. você sabia que, me elevando às melhores e maiores sensações, eu não teria, depois, como dizer o quão ruim você foi. mas veja bem: eu estava no topo de algo que me faria despencar e me quebrar em mil pedacinhos.

você foi esperto ao me dar a adrenalina do amor porque sabia que quando eu saísse dessa relação, sairia completamente mudo, apático, sem ter o que falar.

as suas ações calaram a minha vontade de espalhar pros vizinhos a sua traição.

suas ações calaram a minha vontade de espalhar a todos que eu não era um corpo que levantava, almoçava, jantava, tomava banho. que eu era um corpo inanimado, sem vontade de viver. que eu era como um objeto perdido no espaço sideral, sem o conhecimento da gravidade e de como cair seria mais morte do que a própria queda no chão.

ontem eu chorei tanto, tanto, que se deus pudesse me ouvir, pelo menos desta vez, saberia que nunca senti tamanha dor. que nunca alguém me feriu com espadas tão quentes e arma tão letal.

que você ter entrado na minha vida foi pior do que ser machucado pela primeira vez por isso que chamam de amor.

porque eu acreditava em você, eu te venerava.

ontem eu chorei as quatro semanas que me mantive firme, sereno, aparentando não ter uma adaga no peito, tentando ficar bem. só que tentar muitas vezes não basta e não salva. tentar às vezes não dá conta, e há dias que eu só quero conseguir.

conseguir te superar, te tirar da minha cabeça, fazer você evaporar como aconteceu com seu amor em relação a mim.

eu só quero fazer você sumir da minha vida, dos meus dias, das manhãs em que acordo e você não está; das noites em que tento dormir e o seu fantasma me assombra; das vezes que, não tendo mais lágrimas pra doer, eu tento gritar teu nome, mas você não vem.

é que as janelas do apartamento estão fechadas desde que você se foi.

ou eu.

tanto faz.

eu gostei de você porque
você enfrentou todos os
meus demônios, viu todos os
fantasmas, abraçou todas as
inseguranças e permaneceu.

você foi meu bilhete da sorte

a única certeza que tenho é de que te amei muito.

você foi o único homem com quem pude ser eu mesmo, cem por cento do tempo, sem amarras ou medos maiores. você me viu nos meus piores dias, chorando que nem uma criança com saudade da mãe; triste, com medo do futuro esmagador; infeliz, sentindo que tudo e todos estavam contra mim.

você viajou comigo a lugares que eu nunca imaginei conhecer e vivenciou toda a experiência de uma relação intensa, com dias de felicidade descomunal e noites de choro imparável.

você foi o único homem com quem consegui me despir e não sentir vergonha, meu coração precisava ser visto por olhos de quem enxerga beleza no ato de se entregar.

a maior paz que senti no peito foi quando você entrou em mim e decidiu ficar, como folhas de outono que invadem as casas e as deixamos lá porque é bonito.

eu gostei de você porque você enfrentou todos os meus demônios, viu todos os fantasmas, abraçou todas as inseguranças e permaneceu.

quem tinha ficado até então? ninguém.

e foi por isso que te desejei mais do que desejei ter a mim mesmo.

você era alvo da minha devoção, de horas e horas em que contava de você pra desconhecidos no ponto de ônibus; em que te venerava a qualquer pessoa que falasse sobre o amor da sua vida. eu rebatia: *isso é porque você não o conhece*. e aí eu fui te conhecendo, me entregando cada vez mais, sentindo o medo de saber que a entrega estava acontecendo da maneira mais profunda e ilimitada possível.

eu estava contigo, inclusive pro pior, e eu sempre esperava por ele, já que a vida é esse eterno ir e vir. toda vez que eu acordava mais cedo e te via dormir, pensava: *ele será o próximo a me deixar*.

era um pensamento idiota, estúpido, quase adolescente, de não se sentir seguro na geografia do amor. tinha medo de você enjoar de mim e começar a descontar sua frustração no nosso dia a dia.

eu nunca te disse, mas meu maior receio era me sentir usado da forma que senti com o meu primeiro namorado:
do enjoo se transformar em falta de amor, mas mesmo assim, você me manter ali por comodismo.

meu medo era perder o fôlego contigo e com o nosso relacionamento mesmo já tendo percorrido de Botafogo até a Lapa só pra te ver e, ainda assim, ter pulmão pra chegar até a Tijuca. eu andaria a pé do Rio de Janeiro até São Paulo, por você.

eu te defenderia pros meus inimigos, e das discussões não sairia ileso.

depois de tanto pensar na imagem da sua mão soltando a minha no meio da guerra; de você me virando as costas e indo ao encontro de outra pessoa; de você finalmente se afogando em outro e gostando da queda, aconteceu.

aconteceu de você ir embora, de outra pessoa indo embora, e eu ficando pelo caminho.

não um caminho comum, de quando a gente se conhece e no dia seguinte seguimos a vida, em direções contrárias. era um caminho que havíamos construído por mais de um ano com mãos pacientes, alguns meses distantes por causa do meu intercâmbio e com períodos de extrema alegria. eu fiquei no meio de todas as lembranças, memórias e pesadelos.

eu fiquei no meio de todas as frustrações, que agora guardo na escrivaninha que compramos juntos, pra ter com quem conversar. eu fiquei neste texto, tateando alguma fresta de sentimento que porventura você deixou quando se foi.

eu te amei muito, cara.
você foi o meu bilhete da sorte.

não acredito que vou me entregar assim a outra pessoa tão cedo.
que permitirei ao meu coração o sentimento de ser visto em sua mais completa fragilidade.

e que conseguirei andar a pé, atravessando a cidade inteira, com o coração na boca, amor nos olhos e o pulmão sem parar porque do outro lado há alguém finalmente esperando por mim.

e agora, que me limpei das suas
mentiras, que acordei no dia
seguinte à crise de ansiedade,
que tomei um banho quente e
senti meu sangue finalmente
correr sem culpa, correr pra
longe de você
eu posso dizer que estou livre

que você não me aprisiona mais.

sangue laranja

suas mentiras lamberam meu corpo como
quem tem fome e não come há semanas.

sua língua passeava por todos os dias em que fui, pra
você, leal como um cachorro ao seu dono.

o movimento de ir e vir com todas as palavras
articuladas e falas lúcidas pra destruir todos os
argumentos que eu, pacientemente, levantava contra
você.

me lavei em suas mentiras às duas da manhã de uma
noite que parecia imensa, infinita. a ansiedade congelou
meu estômago, e o pensamento de você me traindo
engoliu o meu ego, machucou minha autoestima e a
deixou no canto do quarto, sangrando.

o que fiz pra merecer a traição? te pergunto

e nada encontro.

nenhuma resposta pra satisfazer meus ouvidos,
pra me enganar pelo resto da vida.

nenhuma desculpa que viraria, em mim, verdade
absoluta.

o que fiz pra ser colocado na cova dos leões?
num vulcão,
em tempo de me queimar vivo.

o que fiz pras suas mentiras
embalarem o meu sono e me fazerem
desconfiar de tudo e de todos?

suas mentiras enforcaram o meu amor.

colocaram nele todos os traumas em qualquer que seja
a vontade de partilhar minha existência com alguém.

fico pensando: desta vez serei trocado
desta vez serei traído
desta vez serei a repulsa de um amor que poderia dar
certo.

tanta coisa poderia ter dado certo se você não tivesse
aparecido no meu caminho.

eu poderia ter colhido tantas flores,
enxergado paz nas relações,
resistido aos piores dias sem sua presença me vigiando,
respirado sem a pontada no peito da mentira me
lembrando
que a verdade não foi suficiente pra te livrar de si
mesmo.

suas mentiras me empurraram pras dúvidas
me colocaram em lugares frios, sombrios, com pouca
água
me fizeram temer até mesmo quem veio pra ficar
e me alimentar com paz.

suas mentiras abraçaram os meus fracassos
evidenciaram a culpa que carreguei durante estes anos
sem saber se você mentia pra mim ou se eu era apenas
fraco e sem amor-próprio;
se eu era apenas uma farsa que já não conseguia se amar.

mas eu não tinha culpa.

você havia se articulado muito bem pra que
eu parecesse sozinho em minhas intuições.

pra que todos os meus sentimentos não
tivessem validade, pra que assim o seu
discurso fizesse sentido
e pra que a dor se fizesse sentir
apenas por mim

e agora, que me limpei das suas mentiras,
que acordei no dia seguinte à crise de ansiedade,
que tomei um banho quente e senti meu sangue
finalmente correr sem culpa, correr pra longe de você
eu posso dizer que estou livre.

que você não me aprisiona mais.

o meu amor por você nunca foi embora da minha vida porque ele é uma criação minha. ele é propriedade de todas as vezes que te imaginei diferente do que, de fato, era. ele é produto de todas as minhas projeções.

projeções desonestas

não vou comprometer o amor que sinto por você. não vou amaldiçoá-lo pras pessoas só porque nos perdemos nesta tentativa humana de crescer e se relacionar. o meu amor, tela que pintei com mãos grandes e firmes, não será motivo de escárnio. não o colocarei dentro de uma caixa e o esquecerei por anos a fio. ao contrário, vou pendurá-lo na janela do apartamento. farei dele cortina, caminho para a entrada da luz do sol. não vou maldizer um sentimento que por meses arquitetei e alimentei, que me acompanhou das noites mais felizes às mais tristes. antes, vou abraçá-lo à noite, como se nenhuma outra companhia pudesse me contemplar.

porque, quando você não estava aqui, o meu amor estava. quando eu estava sozinho, chorando a perda e a ausência, ele ainda assim se manteve por perto, envolvendo-me em seus braços, me lembrando que não importassem as desilusões, ele continuaria aqui, porque é sua função trazer esperança à boca faminta do mundo.

o meu amor por você nunca foi embora da minha vida porque ele é uma criação minha. ele é propriedade de todas as vezes que te imaginei diferente do que, de fato, era.

ele é propriedade de todas as minhas projeções.

não vou me desfazer dele nem tão cedo. se sair de casa, ele me acompanhará como um cão fiel ao dono. não vou jogá-lo escada abaixo, mas o protegerei de toda a angústia do universo. não vou perdê-lo no supermercado; vou deixá-lo caminhar ao meu lado como se entendesse também sobre escolhas: de ficar se quiser e de ir também.

não vou deixar de olhar com calma e cuidado pro sentimento que me acompanhou quando não havia luz na estrada; quando faltou alguém pra colocar a mão nos meus ombros e dizer que tudo ficaria bem; quando faltou um motivo razoável pra eu me levantar da cama e respirar a vida sendo boa comigo novamente. eu não vou abandonar o sentimento que viu minhas fragilidades e dançou com elas; que me tirou pra fora do poço e me fez enxergá-lo agora com a paz de quem finalmente se compreendia; que deu conta de me preencher quando eu não pude.

você pode ter ido embora daqui. ter esvaziado as nossas gavetas, conversas, diálogos, noites adentro de carinho e felicidade, tornado a situação a mais indigesta possível, partido com uma parte minha, também partida. ainda assim, meu amor permanece, resguardado dentro do

meu corpo.
continua aqui, sustentando todas as versões de mim que foram arrasadas pela ruptura, que foram fragmentadas em outras, até que não sobrasse nada pra contar história.

o amor que construí, e que está a salvo de você, é meu. dos calos nas minhas mãos. do suor do meu rosto enquanto estávamos juntos.

não vou comprometê-lo porque deixamos de funcionar. não o deixarei ir embora, mesmo que você já não esteja aqui pra recebê-lo.

no momento que nosso amor se
esgotou todos os meus textos se
viraram contra mim.
palavras saíram do papel pra me
assustar à noite e não voltei a
elas nem tão cedo.
ainda hoje, preciso escolher entre
ser feliz ou escrever.

girassóis nos meus pés

no momento que nosso amor se esgotou
nasceram girassóis sem cor
ao redor dos meus pés

dias sem céu desafiaram existir
em algum lugar do universo
outro território foi reconhecido como país
as fronteiras do Brasil com o mundo
abriram-se e disseram
não existe paz aqui.

a lua, em total eclipse, colocou
a mão no rosto pra chorar.
todas as lágrimas do oceano secaram e deram
à luz um grande e desconhecido deserto
[seu coração é um
em que nunca estive]

deus não falou comigo por quase três meses

paz alguma adentrou o meu quarto

as memórias do que vivi com você
permaneceram agarradas às
janelas dos prédios

entrei em estado de negação.

no momento que nosso amor se esgotou
todos os meus textos se viraram contra mim
palavras saíram do papel pra me assustar à noite
e não voltei a elas nem tão cedo.
ainda hoje, preciso escolher entre ser feliz ou escrever.

todos os desconhecidos do bairro
roubaram seu rosto pra me lembrar
que não poderia cometer o mesmo erro
duas vezes.

[mas eu sou o erro.
eu sou a sua rua sem saída
a viela onde você nunca beijou ninguém
a casa abandonada que seus olhos
veem de longe
o cômodo que serve pros seus entulhos
e pros sentimentos que você não ousa visitar.

ainda assim, eu voltei pra casa,
cansada, esperando que algo além do amor
pudesse me resgatar.

quando o amor se esvai
outros mundos, invisíveis, se chocam
dando continuidade à existência humana.
outras pessoas batem à nossa porta
pra anunciar que a vida seguiu.

no momento que o amor se esgotou
a Nasa encontrou outra estrela e a nomeou
com o seu nome.
asteroides foram avistados, depois de séculos,
passeando pela janela do quarto,
os cachorros da vizinhança deixaram de latir
pela primeira vez desde que te conheci.

é na ausência que a presença habita.

quando o fim do amor aconteceu
a órbita dos planetas foi desalinhada
as flores perderam cor
e o mundo se virou de cabeça
pra baixo pra me recolher do chão
e me pegar no colo.

por isso voltei a mim mesma e
comecei a pintar
novos girassóis.

eu precisava seguir depois da ausência.

ser acolhida no colo do mundo
pra entender que a vida continuaria
com ou sem você.

que eu continuaria viva mesmo
sem a porta de casa
ouvir o barulho dos seus passos
voltando pra mim.

você estava pronto pra me
encontrar e fazer entender que
nem sempre o amor vence a
história. que é por causa dela
que precisamos ir embora.

someone new

o céu carioca chorou gotas de inverno hoje.
mas você sempre foi um verão pra mim.
acho que isso é sinal de que não fomos feitos um pro outro. mas o *big-bang* também não era, e olha só no que deu.
estou ouvindo Banks, aquela cantora que te mostrei em um dos últimos dias da nossa vida juntos.
você acabou se distraindo com outras coisas enquanto eu só queria que prestasse atenção na letra que ela cantava. era o universo premeditando a maneira como seríamos dali pra frente.

"i'm doing this for you, baby can't you see? there's such a thing of loving someone so much that you need to give them time to let them breathe, but you don't understand, i wish you understood...",

e os seus olhos estavam em outra ponta do horizonte.

seu coração dançava outra música, enquanto minhas tentativas já estavam cansadas de mim e de você e de nós.

o Rio de Janeiro deixou escapar que estava triste hoje. assim que acordei e percebi que este seria o último dia aqui, compreendi que a natureza também sente o amor e a ausência dele.

estou levando todas as nossas fotos embora, as que eu gosto muito, aquelas de que sinto tristeza quando olho e percebo que já fomos felizes um dia.
estou colocando todas as roupas dentro da mala, e com elas também todas as discussões que nos levaram às salas de terapia do Flamengo; todas as noites que bebemos até nossos pensamentos se trombarem em outra dimensão; todos os dias que assistimos o pôr do sol naquele deque incrível na Lagoa; todos os bares de Copacabana onde comemoramos nossas vitórias profissionais.

estou embalando os móveis, deixando a casa pra outra pessoa morar e viver novas histórias. pra alguém preencher os cômodos com outras falas, exercer direitos diferentes sobre cada pedacinho do que já foi nosso, entender como bem quiser todos os sons do vento que, vez ou outra, aconchegavam-se na janela da sala.
hoje a cidade amanheceu em cólera com a possibilidade de nossos olhos nunca mais se entenderem outra vez. da gente se perder no compasso de uma vida que corre muito, corre tanto, que às vezes ficamos pra trás, chorando as histórias impossíveis de um mundo que é possível até demais.

eu me pergunto agora enquanto ouço aquela cantora que você não deu muita atenção: será que este é o fim de tudo, é o fim do nosso mundo?
três anos atrás, eu não me imaginava me mudando pro Rio de Janeiro.
há dois, não poderia pensar na ideia de gostar de alguém como gostei de você. na ideia de um amor tão puro, tão limpo, tão inocente, que aceitou as mais diversas formas de dor e, mesmo assim, continuou.
há um, quando finalmente te conheci e entendi por que este lugar, tantas e tantas vezes celebrado, é a cidade onde o Cristo resolveu existir.
é que você estava me esperando aqui.
é que você estava pronto pra me encontrar e fazer entender que nem sempre o amor vence a história.
que é por causa dela que precisamos ir embora.
estou deixando o Rio, você, nós dois.
estou partindo e ouvindo "*Everything I do, I'm gonna think of you.*"

quem vai, dificilmente escolhe
a mesma estrada pra refazer
trajeto. quem vai geralmente
volta diferente, mudado, com
outros apetites e imaginações.

pra todos que pegaram a estrada de ida e não voltaram mais

tô voltando pra casa agora, mas mesmo os meus conceitos sobre casa andaram mudando. o Rio de Janeiro me trouxe uma independência que não tive nem quando teu amor explodiu em mim como um planeta novo esperneando pra ser visto na atmosfera do espaço. tem muito de você aqui. o salgado do mar tem o cheiro das suas lágrimas. o barulho da água ricocheteando as pedras da praia tem o teu nome. ouço tua voz ao fundo durante a longa viagem entre a cidade que dança e a cidade que chora. São Paulo sempre foi minha segunda cidade favorita do mundo, depois de você. te ouço chamando meu nome pra acordar e fazer as coisas do dia a dia. pra observar o céu amolecer o encantamento e abraçar nossas peles doces de amor recíproco. escuto teu nome lembrar da existência do meu, tão vazio e sem sentido sem você. mas eu tô voltando agora. eu tô voltando agora e os soluços que soltei durante a semana foram a prova de que não voltarei o mesmo pra cá.

eu tô indo tirar um tempo de mim, pra mim, pra deus, pros orixás, pra paz que existe no meu corpo e não estava conseguindo exercitar perto de você. eu tô indo pra me curar da nossa relação, que foi mais *boa* do que ruim, é verdade; que me tirou de órbita, do eixo, do centro de mim. você era o passo apressado de quem corre na orla do mar. você é todos os sentimentos do mundo dissecados em barracas, cadeiras, água de coco, cangas, e todos os rituais cariocas sobre como ser feliz e ser leve e ser bom. você é bom, sabe? talvez eu que não seja mesmo. te conto essas coisas porque me sinto triste de ir embora sem ver uma última vez seus olhos ou sentir o cheiro do seu cabelo ou a maciez das suas mãos quando colocadas no meu corpo, na minha intimidade. agora eu choro porque quem vai, dificilmente volta. quem vai, dificilmente escolhe a mesma estrada pra refazer o trajeto. quem vai geralmente volta diferente, mudado, com outros apetites e imaginações. tá fazendo sol na estrada, é um sábado de maio, as ruas estão ermas e as pessoas estão em casa preenchendo-se de vazios. e eu também tô vazio, querido. eu também sinto que vou sufocar. mas eu sinto o teu nome me acompanhar no banco traseiro do carro, pegar na minha mão, fechar os olhos e se aventurar neste momento que não volta nunca mais. a beleza da vida, talvez, seja justamente sobre estes instantes particulares, solares, poéticos e muito, muito solitários, que a gente vive querendo repetir com a pessoa amada. só que você não pegou a avenida Dutra comigo. você não é a onda que me arrasta pra dentro. você não é o passageiro da minha viagem.

tantas fronteiras ficam pra trás quando vamos embora de alguém

não havia entendido
a palavra saudade
até cruzar a fronteira do estado
com teu nome entalado na garganta
em um sábado de sol no mês
cinza de maio

e como alguém que se perde
pelo retrovisor do carro
o frio na ponta do peito me dizia
que existem conversas e pessoas
quilômetros e vazios
perdões e municípios
irrecuperáveis.

a cidade que habito não
é a mesma sem você.

uma vez eu ouvi que a gente só sabe que morreu
quando a última pessoa a se lembrar de nós se vai também.

vaga-lumes cegos

uma vez eu li que a gente só morre quando a última pessoa que passou pela nossa vida deixa de nos pensar. você promete pensar em mim pra sempre? quer dizer, não precisa ser sempre, pode ser só às vezes. pode ser mês sim, mês não. pode ser só no Natal, quando olhar pra sala e se der conta de que não vou chegar com os presentes e com a voz. pode ser só quando estiver olhando pro sol da tarde, aquele das cinco e meia, cujas camadas vão se fundindo em tons pastel-azuis-vermelhos. seus olhos vão vislumbrar os desenhos entre as nuvens e você se recordará da vez que viajamos mais de doze horas de uma cidade à outra com a paixão no banco detrás do carro. pode ser apenas quando Daniel Caesar tocar e você sorrir por saber que já fizemos amor ao som da voz dele. ou, sei lá, apenas na primavera, quando nosso amor costumava aflorar feito girassol frente à luz. não precisa ser pra sempre, pode ser só às vezes, quase nunca. mas pensa.

pensa, porque quero continuar vivendo no mundo, na superfície de alguma pele que meus dedos tocaram, no coração de alguém que meus pés já sentiram as emoções e puderam descansar. não precisa ser todos os dias, não precisa me fazer dançar nos seus pensamentos toda vez que estiver feliz, não precisa me deixar aceso aí dentro. pode ser só entre 23h30 e 23h45, pouco antes de pegar no sono, pensando no que poderíamos ter acontecido se os ventos não tivessem corrido pra outra direção, se a terra não tivesse continuado seu fluxo rotatório, se os dias não tivessem continuado e seguido cada vez mais distantes de nós dois. também não quero ser egoísta de pedir pra você pensar em mim enquanto estiver com outra pessoa. não é assim que eu gostaria que você me visse, como um pedinte, um desesperado, alguém que precisa dos outros pra viver. não. só que tenho medo de morrer. de você parar de pensar e, aí, eu finalmente ir embora daqui. e eu gosto daqui e de flutuar entre suas sinapses. promete pensar nas noites mais felizes que tivemos? naquela vez que ficamos bêbados e acabamos na rua porque havíamos perdido a chave de casa? ou naquele dia que te mandei um buquê imenso de flores porque era seu último dia de trabalho na empresa que você tanto amava? pode ser só às quintas-feiras também. pode ser apenas uma manhã de cada mês. pode ser esta última vez. eu sei que, se você parar de tentar, eu vou desaparecer. que, se você não quiser, minha luz vai se apagar aí dentro e nunca mais vou te assistir crescendo e sendo feliz – mesmo com outra pessoa. que, se este texto não chegar aonde precisa – no infinito – tudo isto então não terá feito tanto sentido. uma vez eu ouvi que a gente só sabe que morreu quando a última pessoa a se lembrar de nós se vai também.

nunca estarei pronto pra
esbarrar contigo por aí em
algum dia da semana e fingir
que nosso encontro não criou
a lei humana de como o amor
permanece intacto com o passar
do tempo.

em alguma livraria
no centro da cidade

tenho certeza que vou te encontrar em
algum outro momento do jogo.

não é uma presunção tão certa.

não é a bíblia sagrada, com suas histórias
irrefutáveis que atravessaram os séculos.

não é a lei dos homens ordenando o mundo,
quase que irrevogavelmente.

mas eu sinto.

às vezes sinto na hora do almoço,
atravessando a Avenida Atlântica e
pensando que duas pessoas que se amaram
tanto não podem sair assim uma da vida da
outra, de forma tão dura, fatídica, irresoluta.

às vezes penso aos sábados. e fico tramando várias alternativas pra driblar o destino; pra enganar os deuses poderosos e desconhecidos; pra surpreender os mais céticos dos humanos.

crio estratégias de como vou te encontrar. se com trinta anos você já terá sido promovido no trabalho, se terá mesmo aquele gato sem pelos que a gente tanto falava que teria, se a responsabilidade da vida adulta será seu sobrenome.

invento alguns possíveis cenários:

1. em uma quarta-feira, esbarro com você naquela livraria da Voluntários da Pátria. você vai estar de camisa social florida, um tênis marrom, os óculos sendo o novo e surpreendente acessório. conversaremos sobre por onde estivemos, afinal o Rio de Janeiro nem é tão grande assim; há quanto tempo não nos víamos; o que temos feito no trabalho; se alguém tem mexido com o nosso coração... e quem sabe um chá na padaria do lado, depois uma cerveja no bar, e por fim uma noite rara de saudade, redescobertas e redenções. você vai dizer que tem uma viagem marcada pra fora do país, que finalmente sabe fazer um arroz sem queimar, e que tem investido em yoga e plantas porque fazem bem.

2. na social de um amigo nosso em comum. você estará com seu novo namorado, um pouco maior do que eu, 177 centímetros pra ser mais exato, cabelo escuro, olhos amendoados, rosto redondo – meus amigos dirão que você ainda me procura nos outros. vou te cumprimentar, nossas mãos distantes de afeto, os olhos que se perdem no que fomos, nossos corpos seguindo à risca a ideia de não se aproximarem tanto, pra não dar choque, não gerar faísca, não sucumbir. vou sentir um buraco no peito pois você seguiu como disse que faria. *babaca*, vou sussurrar, ao perceber que você realmente cumpriu com o prometido, enquanto eu fiquei aqui, estagnado na espera.

3. em alguma festa no Galpão Gamboa. estaremos os dois loucos, irreconhecíveis, irreparáveis, mas felizes com a decisão tomada anos atrás. você não vai me perceber logo de cara, o seu cabelo estará mais claro do que o normal; seus olhos, antes verdes, agora me parecerão azuis. talvez a bebida ajude na nossa tentativa de reviver aquela paz que criamos quando estivemos juntos. mas nada volta ao normal depois que vai, não é? não é um elástico que volta ao estado inicial da existência. você estará magoado por causa de outros relacionamentos, eu estarei com medo de

qualquer pessoa que me conheça mais a fundo – só você mergulhou sem medo em mim; só você entrou no mar e gostou da água fria.

eu sei que vai acontecer. daqui a cinco meses ou a cinco anos.

quando você estiver casado e eu também. quando você tiver filhos, um gato chamado Fred, uma casa com a varanda repleta de plantas como sempre pensou. ou quando eu estiver feliz com outra pessoa, em paz com a rotina e o emprego, a consciência limpa, arejada e imaculada pelo que tivemos.

e por mais que eu tente recriar este encontro na minha cabeça infinitas vezes; por mais que não exista um dia em que eu não pense absurdamente em você e por mais que haja inúmeras probabilidades da gente se reencontrar, eu nunca estarei pronto pra essa explosão de emoções guardadas por tantos anos.

eu nunca estarei pronto pra te ver homem grande, maduro, crescido em pele e coração.

acho que nunca estarei pronto pra esbarrar contigo por aí em algum dia da semana e fingir que nosso encontro não criou a lei

humana de como o amor permanece intacto
com o passar do tempo.

criou a lei divina que presenteia com a
eternidade aqueles que ousaram guardar
pra sempre na memória o primeiro e grande
amor da vida.

corpocontinente

ouvir teu nome
vez ou outra
na boca do mundo
ainda é sentir que
mágoas e borboletas
dançam no meu estômago
quando você não está.

queria tanto te ligar.
ser abraçado pelo tempo
esvaindo todas as mágoas que
ficaram entre nós. ser consolado
pela espécie de calmaria entre
duas pessoas que se amaram um
dia.

na caixa postal da sua vida

sinto tua falta.
será que devo te falar sobre essa ausência?
há tantos abalos sísmicos acontecendo no mundo que acho até pecado ter tempo de sentir falta de alguém. deveria? me sentir culpado, digo. sentir saudades. gostar ainda de você.

mas se eu te ligar, será que você atende?
eu aposto que o telefone tocará umas cinco vezes até ser atendido.
e se você estiver com outra pessoa?
se estiver ocupado sendo feliz demais e eu parecer infeliz demais atrapalhando a liberdade das suas escolhas, do seu caminho e da sua paz?
e se você estiver vendo uma série com ela ou mesmo almoçando com ela e sua mãe? vou parecer solitário e não queria que me visse assim, tão despido. não queria que me enxergasse assim, tão dependente ainda.

não estamos acostumados a falar isso em voz alta: dependência. dá até vergonha de dizer que alguém fez tanto sentido que acabou se tornando um. você era meu sentido no mundo, mas isso você sabe, não é como se fosse a maior novidade do que vivemos. no entanto, queria passar a imagem de que estou forte também, de que estou convicto do meu próprio espaço e decisão.

queria tanto te ligar.
mas e se o silêncio for o maior convidado da conversa? e se ele ficar no nosso meio e espaçar as expectativas, criar um clima e finalmente percebermos que somos dois desconhecidos com vozes e histórias que se conheceram em algum momento, mas agora se perderam no atrito do ar com a indiferença? e se o silêncio desta vez conotasse uma espécie de derrota porque a gente se desencontrou até através de ondas magnéticas? vamos perceber que em outras dimensões nós também não existiremos. e se depois do silêncio e da respiração colada à linha telefônica, você tentar dizer qualquer coisa e eu também, ao mesmo tempo? as palavras brigarão por um lugar ao léu, entrarão num ringue pra disputar importância, cairão ao menor sinal de dificuldade. deixarei você falar por amor, por respcito, e vai me perguntar como ando, se está tudo bem, como anda a quarentena, o que tenho feito pra distrair a mente, o coração, a solidão. vai dizer que esqueci qualquer coisa aí na sua casa, que vai deixá-la com o porteiro, afinal é melhor assim, não ter contato, nem em pele nem em visão, se preciso de alguma coisa, por que liguei e aí minha voz vai tremer. o respiro fundo antes de começar a tremular as frases e a vontade;

o respiro antes de tentar dizer qualquer palavra
mais amena, nada muito profundo pra não parecer
transbordante, nada muito profundo pra não assustar.
o barulho da felicidade atrás de você, o mundo
acontecendo do seu lado da linha, enquanto do meu o
silêncio perturbador de estar sozinho e sem perspectiva
de companhia.

queria tanto te ligar.
ser abraçado pelo tempo esvaindo todas as mágoas
que ficaram entre nós. ser consolado pela espécie de
calmaria entre duas pessoas que se amaram um dia,
viram o pior um do outro, compartilharam as risadas,
a sobremesa do almoço e as preocupações sobre o
destino do país. mas eu não posso. eu não posso ser
egoísta dessa vez.

faz muito frio aqui, São Paulo vem castigando seus
moradores, e a saudade de você é um arrepio que não
passa.

os telefones da cidade nunca estiveram tão mudos como
agora.

00:19

eu nunca estive tão perdido na vida. eu nunca estive tão seguro de que você não é pra mim.

gengibre & limão

chorei enquanto fazia chá de gengibre às duas da manhã porque pensei em você e percebi que já não havia o amor abrindo os olhos dentro de mim. o amor que eu sentia por você tinha finalmente soltado minha mão, e foi terrível olhar pro lado e não te enxergar aqui. ergui a cabeça, pedi pra deus alguma faísca de nós dois, mas nada. o que senti, na verdade, foi a culpa de ter seguido em frente. chorei, pois estou colocando outra pessoa no seu lugar. pois outra pessoa tem mexido comigo e, sem querer, te sacralizei demais pra este mundo tão superficial. me senti culpado de ter esbarrado com outra pessoa tendo uma parte sua em mim que ainda vibra e dança quando há luz. te permito voltar de vez em quando pra me sentir menos só, e nestes confrontos entre vocês dois sinto a tristeza de, enfim, abandonar a nossa história. fico me perguntando antes de dormir se é justo que a vida seja sobre pessoas se desencontrando pra encontrarem outras formas de respirar.

existe uma desesperança no amor e em qualquer outro sentimento que me faça querer tirar o coração pra fora do corpo e começar tudo de novo. mas com ele me sinto diferente. não existe o peso do que não dá certo, nem a falta de fé em algo bonito, a incerteza do sentir. com você eu carreguei tantos pesos que os nossos amanhãs eram nebulosos, quase sempre regados a lágrimas e discussões de como conseguiríamos ser felizes. não fomos. bem, a partir de um momento específico não fomos. e aqui estou eu, carregando a culpa de precisar te deixar pra trás; de precisar, finalmente, fechar a cortina do espetáculo, virar a página do livro, atravessar a rua pra chegar ao próximo destino. o que senti essa noite foi o corte da linha mágica, aquela invisível que nos atava e agora nem existe mais, a esperança de que algum dia a gente fizesse sentido. carrego a culpa de sentir que já é outro momento pra mim, em outra história, com outro alguém. carrego a culpa de saber que suas digitais ficarão em mim por muito tempo, e que preciso delas, em alguns momentos, pra saber quem eu sou. eu nunca estive tão perdido na vida. eu nunca estive tão seguro de que você não é pra mim.

sem título II

espero a sua volta como quem vai à igreja sem nenhuma fé.

te encerro aqui, meu amor, e
encerro o que fomos, porque
o universo também precisa
perdoar aqueles que não deram
certo.

amar é deixar ir

te deixo voar, é por isso que te amo.

te respeito e te deixo ir como o homem que me ensinou que alguns caminhos não são pra mim, mesmo o amor sendo.

como alguém que me pegou no colo quando eu abraçava minhas próprias feridas e me acostumava a elas – você me disse que eu era bonito demais pra me vestir de espinho – e decidiu me acompanhar na vida e nas minhas viagens ao centro das discussões sobre música; às brigas sobre onde colocar o arroz e o feijão; às risadas sobre programas de TV e vídeos na internet.

te respeito como quem que me viu na pior fase, querendo distância do mundo todo, apavorado com qualquer multidão, exausto de qualquer pretexto e cansado de existir. você segurou minha mão, me levou ao banheiro, deu banho, colocou pra dormir.

te respeito porque você não tripudiou sobre minhas fraquezas; pelo contrário, com elas conversou. foi gentil, doce, meigo, leal. e é por isso que saio daqui, deste espaço, de peito dormente e boca cerrada. daqui saio com vontade de gritar de dor, mas ciente de que fomos o que tínhamos que ser, da maneira mais humana e inesgotável possível.

te encerro aqui, meu amor, e encerro o que fomos, porque o universo também precisa perdoar aqueles que não deram certo. a vida precisa nos ajudar a seguir em frente, quando a gente mesmo já não pode. então isto é uma despedida, bem menos glamourosa do que pensei, bem menos exorbitante do que a que os astros prepararam pra mim, bem menos divina do que escrevi na primeira vez em que te vi e nos amamos: você nunca pensou que amaria alguém que escreve e eu nunca pensei que me apaixonaria por alguém que sabia voar.

você soube.

daqui vislumbro as nossas vidas
e penso que jamais imaginaria
estar tão vergonhosamente
sozinho na face da chuva. tão
infelizmente vivo nesta escuridão
dos dias e do universo.
há lágrimas que caem, mas não
molham. a distância entre nós é
tão infinita quanto este céu.

Linha do Equador

talvez você esteja do outro lado da cidade questionando por que resolveu cair o mundo justo hoje. talvez tenha mirado o céu da janela do seu quarto e perguntado pra algum deus se isso tudo vai passar – e quando. quem sabe esbarrado em algum trejeito que perdi pela casa, meu perfume acidentalmente esboçando alguma vida na sua narina, o moço da pizza perguntando por mim outra vez. talvez você já esteja com outra pessoa, ignorando todos os protocolos de isolamento social – também estávamos isolados no fim de nós dois e, mesmo assim, o toque era nosso idioma favorito. daqui espreito o mesmo horizonte e me questiono se mais à frente da Linha do Equador, onde você vive, tem chovido igual. daqui penso em ti e em nós e já não dói – faz cócega, alívio, quase-choro. daqui vislumbro as nossas vidas e penso que jamais imaginaria estar tão vergonhosamente sozinho na face da chuva. tão infelizmente vivo nesta escuridão dos dias e do universo. há lágrimas que caem, mas não molham. a distância entre nós é tão infinita quanto este céu.

tivemos uma vida inteira dentro
do tempo, meu bem.
uma pena termos terminado
assim.

7 x 60 x 1000

a última vez que te vi era domingo de chuva no Rio de Janeiro, as máscaras no rosto das pessoas como elemento principal da nossa história que acabaria de maneira mais ordinária do que começou
o aplicativo de carro separando a minha pessoa da sua presença, o pão que você precisava comprar retendo sua atenção mais do que a minha fuga pra nunca mais voltar.

é assim que relacionamentos terminam: banais.

naquele dia, nem a chuva se atreveu a ser chuva, estava tímida em seu processo de limpar a culpa dos que saíram de casa.

ninguém me ligou pra saber como eu estava.

nenhum dos meus amigos soube que quinze meses de relacionamento tinham sido jogados pra vala, tais quais os pequenos lixos dos transeuntes que lançam, sem culpa, papéis e ponta de cigarros nos paralelepípedos de lugares que desconhecem.
é assim que fazemos com tudo que não conhecemos: jogamos fora sem preocupação.

a última vez que te vi, você usava um chinelo Havaianas azul-escuro, shorts jeans e uma blusa listrada verde e branca. me disse saber que aquela seria a última vez que fazíamos aquilo. eu te acompanhava ao descer a rua com um silêncio que derrubaria até o mais feroz dos governos; carregava a ansiedade dos dias sombrios, sem solução, pois também sabia que depois de virarmos a esquina, eu entrando no carro e você naquele estabelecimento, nunca mais seríamos os mesmos. nunca mais eu voltaria àquela rua do centro do Rio; você nunca mais atravessaria a cidade pra chegar à minha casa; nunca mais voltaríamos a ter o amor como comum-lugar.

o suor aparecendo na pele era sinal de que meu corpo já previa o depois.

o depois seria um silêncio predominante nas primeiras horas das semanas. a digitação de uma possível mensagem, mas o cancelamento dela, em respeito ao vazio que cresce entre duas pessoas que já não têm o que conversar. a sucessão de medos se encontrando, tomando banho comigo, tomando conta de mim.

o depois seria uma espécie de cobertor em dia frio e deprimido dizendo assim: "dorme, meu filho. descanse deste fim que atropelou você".

naquele domingo carioca chuvoso e frio, nem deus seria tão genial na mensagem que os céus nos enviavam: teríamos aproximadamente sete minutos, quatrocentos e vinte segundos e quatrocentos e vinte mil milésimos de segundos até nunca mais nos tocarmos.

tivemos uma vida inteira dentro do tempo, meu bem. uma pena termos terminado assim.

um

a única consequência que o amor abraça é a do fim.

todo coração
é uma alegria que pulsa

como é possível o coração humano
ser apenas músculo
quando nele habitam mães que choram
filhos distantes
saudades que nunca foram resolvidas
por ego ou orgulho
e amores que ficaram no passado
esperando ser resgatados pra
enfim
desatarem os nós do destino?

nada é mais bonito do que
carregar no próprio corpo
ferramentas pra se salvar.

dois

você não precisa
se deixar nas mãos de outra pessoa
pra sentir que é amada.

se você está aqui
sobrevivendo às náuseas do mundo
atravessando desertos e engolindo oceanos
é porque suas mãos tiveram
o milagroso trabalho de te segurar
mesmo nos piores dias

percebe?

nada é mais bonito
do que carregar no próprio corpo
ferramentas pra se salvar.

existe um mar de expectativas frustradas e decepções que dormem contigo. e o corpo dele longe do seu é o pior frio que você já sentiu na vida – e vai sentir, acredite.

continue a nadar

este texto é pra você que ficou no meio do caminho e precisa voltar a respirar.

você que se sentiu por tanto tempo apaixonado, se deu tanto, doou tanto, foi tão de verdade, que agora apenas o vazio das coisas adormece na membrana mais dolorosa do peito. o vazio dele segurando sua mão antes de atravessar a rua; a risada dele na sua cabeça enquanto você contava alguma piada idiota; as roupas que ainda estão na sua casa, mas por impossibilidade do destino permanecerão aí por um bom tempo.

dói tanto.

respirar, contar pros pais, pras amigas, pra terapeuta.

você começa a sessão assim: "e aí que a gente terminou.
e aí que a gente se perdeu e deixou de se amar",
segurando o choro, sem perceber que já existe um rio,
um oceano, um mar inteiro ao seu redor.

existe um mar de expectativas frustradas e decepções
que dormem contigo. e o corpo dele longe do seu é
o pior frio que você já sentiu na vida – e vai sentir,
acredite.

sei que está se perguntando agora quando vai parar de
doer – e, pra isso, não há resposta.

só sei que demora, que os dias parecem mais
compridos, que as noites são insuportáveis e as estações
do ano passarão preguiçosamente por você. que eu
e você estamos no mesmo barco, ou melhor: casa,
apartamento, espaço sideral.

você não é a única a encerrar um ciclo aqui. há muita
gente perdida, com dor, tentando não perecer.

porque perder alguém é se perder também.

você ficou pelo caminho esperando ser resgatado
dessa dor infeliz de não saber pra onde ir, o que fazer;
esperando alguém pegar na sua mão e te guiar rumo
a si mesmo novamente. ficou desejando ter com
quem conversar sobre esse rio que te afogou e tem te
deixado sem ar durante tantos dias, semanas. desejou
ardentemente uma bombinha de oxigênio, uma mão pra
te puxar pra fora d'água, ou simplesmente ele, de novo,

pra te ajudar a nadar.

e eu não vou mentir que, em alguns dias, vai doer mais que em outros.

que você vai querer voltar pra ela – mas voltar não é mais uma opção. e que talvez esse período lhe seja ainda mais doloroso.

mas você ficou pelo caminho, e preciso te lembrar que seus pés precisam começar a construir, dia após dia, novas formas de conhecer o mundo.

que aos pouquinhos, bem aos pouquinhos, vai tudo fazendo sentido, vai tudo entrando nos eixos, vai tudo se alinhando à maneira calma, tranquila e obrigatória com que a terra vai girando.

e a água em seu pescoço no começo de cada sessão de terapia vai diminuir, gradativamente.

as lágrimas que corriam com tanta facilidade darão espaço àquelas que correm esporadicamente, com espaços maiores e felicidades nos entremeios.

e por fim, que o oceano, este lugar de pânico, medo e falta de ar vai fazer sentido, porque você terá aprendido a respirar com calma e a mexer o corpo como quem, finalmente, compreende o milagre que é estar viva e poder seguir em frente.

comece a nadar, então.

está tudo bem chorar. está tudo bem tentar digerir o fim sentado no chão da sala de casa antes de seguir em frente. e está tudo bem vê-lo se perder longe de você, tentando recuperar a felicidade do que tinham e que não volta mais.

lost one

ele seguiu rápido demais enquanto você ainda estava em casa, chorando todas as possibilidades que tinham de ficarem juntos. ao mesmo tempo em que pensa nos porquês do fim e chora sentada na sala de casa, tentando compreender onde foi parar o amor e se ainda existe alguma chance de tudo isso terminar bem no final.

mas ele seguiu e já encontrou outras bocas pra satisfazer o prazer, pra fazê-lo vibrar.

ele encontrou outro corpo pra desmanchar a angústia de não saber o que fazer com o fim. ele, na verdade, está apenas esticando o fim irresoluto na pele de outra pessoa. ele está tentando construir um caminho em alguém mesmo sabendo que o de vocês permanece lá, esperando pra ser desfeito.

e é isso que você chora.

ele seguiu tão rápido com a vida e você ficou parado no meio da estrada, procurando achar as respostas pra todo o caos que as feridas vivas se tornaram – mas nunca encontrará respostas porque o eco é maior do que sua voz. o eco de vê-lo indo embora, saindo da sua vida, é mais profundo do que a agonia em continuar não sabendo no que daria a sua história com ele, o que aconteceria se você tivesse se esforçado um pouco mais.

mas adivinha? *você não poderia ter se esforçado mais.*
você não poderia dar algo que já não tinha.
não podia tentar se, no final das contas, estava esgotado e sem energia.

você fica frustrado consigo próprio porque se pergunta: como pode ele ter seguido tão rápido, ter preenchido o vazio de maneira tão superficial enquanto eu continuo aqui, preso, empacado, pensando em nós – todavia você se questiona por que, pro seu coração imenso, o final foi avassalador. o final te levou embora de si mesmo, o final te colocou pontos de interrogação e medos absurdos, como o de se relacionar de novo com alguém.

e é foda e é triste, porque eles parecem se recuperar mais rápido.

parece que estão sempre um passo à nossa frente, recuperando o fôlego e o coração antes mesmo da nossa mente voltar a ficar em paz com a ideia de estarmos sozinhos. pra eles, somos apenas um acaso infeliz, nada muito grande ou nada muito incrível que demarque a pele e a vértebra.

eu sei que você está sozinho, ainda pensando no quão injusto é ficar pelo caminho enquanto ele está lá na frente, dando a volta no quarteirão. sozinho, esperando alguma resposta ou cura divina pro buraco que cresceu no teu coração. e eu sei que você ainda espera alguma resolução pra essa história que te partiu e quebrou em muitos pedaços.

no entanto, onde você está agora não é o que você é. respeite seu corpo se acostumando à ideia de existir no mundo sem ele. respeite sua dor e a maneira que você tem de reagir a ela.

está tudo bem chorar. está tudo bem tentar digerir o fim sentado no chão da sala de casa antes de seguir em frente. e está tudo bem vê-lo se perder longe de você, tentando recuperar a felicidade do que tinham e que não volta mais.

nem sempre quem está lá na frente se recuperou primeiro.

poética do sal

I

a linguagem que as lágrimas usam
pra conversar com o mar.

II

é o mesmo idioma
das lágrimas e do mar.

III

choro sempre que te vejo
porque é o caminho mais fácil
que encontrei de chegar até o mar.

teu corpo vai procurar aquele
que pra ele era motivo de
acordar no dia seguinte. saber
que ele existia era o incentivo
que suas células precisavam pra
começar a funcionar logo pela
manhã.

lo vas a olvidar

você vai chorar muito ainda.

os primeiros dias parecem anestésicos que tomamos pra não doer tanto assim. você pensa que superou porque já consegue fazer comida sem permitir que uma lágrima escorra pelo seu rosto ou porque consegue pendurar roupa no varal sem se lembrar do cheiro das blusas que ele usava ou porque consegue ir às festas sem se lembrar de que passaram um bom tempo nesses espaços, construindo laços e estreitando convívios.

mas em um dia qualquer, sem que seja anunciado, em uma quarta-feira, por exemplo, tudo virá abaixo. nada de grandioso terá acontecido pra que você se dê conta de que a cratera é muito maior do que se imaginava.

que o espaço que ele deixou na sua pele não será preenchido nem tão cedo – nem por sentimentos, muito menos pessoas novas, embora você queira com ardência.

ele vai doer pelo seu corpo enquanto você se prepara pra sair de casa rumo ao trabalho ou enquanto espera o ônibus passar no ponto pra te levar à faculdade. e aí uma dor única, insuportável, incontrolável apertará seu pulmão, te impedirá de respirar o ar poluído da cidade.

você vai tentar se segurar em alguma viga da estrutura de metal mais próxima, mas a memória de vocês dois sendo felizes te socará infinitas vezes até você gritar pra parar.

ele não terá ido.

ele estará dentro de você, dançando, sorrindo, levantando os braços pro céu, sendo a pessoa feliz que deixou de ser contigo meses antes de terminarem.

você acha que terá superado porque seus pensamentos não vão te aturdir tarde da noite. nas primeiras semanas conseguirá fazer tudo normalmente: provas da faculdade, sociais na casa dos amigos, mesmo aquelas noites pesadas, virado, bebendo sem pensar no amanhã. você conseguirá se concentrar no trabalho, entregará tudo no prazo pedido, comerá quatro, cinco vezes por dia, continuará saudável até que

até que o espasmo da noite vai te engolir vivo.

teu corpo vai procurar aquele que pra ele era motivo de acordar no dia seguinte.

saber que ele existia era o incentivo de que suas células precisavam pra começar a funcionar logo pela manhã.

você vai sentir falta do espaço material que seu corpo ocupava na cama, logo você, que não fazia questão de dormir agarrado nem nada. agora, pelo menos uma vez por semana, mais aos sábados e domingos, seu corpo se ocupará de acordar de madrugada gritando, esperneando, pedindo por ele, pela presença, por tudo que ele deixou pelo caminho e não veio buscar.

depois, pelo menos duas vezes por mês, aos finais de semana, quando você decidir caminhar pela cidade, vai vê-lo por aí. cerrando bem os olhos, colocando os óculos pra avistar melhor, perceberá que não passa de miragem. que sua mente está criando formas e imagens pra que ele não se perca totalmente no seu cérebro; é seu corpo trabalhando todos os seus traumas e medos pra quando acontecer de verdade você se sentir menos desconfortável.

porque, sim, em algum momento você o encontrará e o choque já não será surpresa, mas sim evolução: você terá pensado tanto nele, que encontrá-lo agora já nem doerá tanto assim.

com o passar do tempo, vai começar a imaginá-lo com outras pessoas.

pintará cenas na cabeça dele beijando outros corpos, transando com desconhecidos em festas, perdendo a chave de casa em uma destas loucuras que cometemos pra nunca mais. dele reorganizando a vida e a rotina com alguém novo, se ocupando de memórias e criando novas formas de amar.

e é aí que vai doer muito.

pois você pensou que tivesse superado, mas na verdade seu coração não superou nunca. enquanto seu corpo estava ocupado tentando te distrair da dor da solidão, seu coração estava tentando se enganar pensando que talvez vocês voltassem algum dia; que talvez esse espaço fizesse sentido pois ele voltaria pra preenchê-lo, pra te tirar dessa vala para a qual você foi empurrado.

vai doer muito porque a gente acha que superou até levar um tapa da vida ao recordar algo bonito que ficou no passado e não volta. vai doer porque agora você compra três pães, mas come apenas um e meio na esperança de que um dia ele volte a se sentar na mesa contigo – ou nem por isso; mas pelo ritual de ter sido dessa forma o café da manhã por todos aqueles meses.

vai doer porque você passou as três primeiras semanas incólume, sem chorar muito, mas agora quase todo dia existe uma hora em que você corre pro banheiro e desaba, olha as fotos no celular, tenta compreender onde foi que se perderam, e onde estão agora.

mas você está aqui, nesta parte do caminho que é sozinha, dolorosa e quase que incompreendida.

aqui, em noites de sábado solitário, esperando algum

sinal ou promessa divina de que tudo ficará bem um dia, e que você finalmente poderá viver como se ele ou a sombra dele não fossem aparecer inesperadamente.

aqui, tomando de volta sua vida, seus dias, a maneira como toma café, a forma como pendura a roupa no varal, a maneira como dorme na cama.

sim.

você terá que se reeducar.

você terá que reaprender a viver só.

há sempre algum poeta
estendendo os limites do
pensamento pra ver se consegue
puxar outras pessoas pra dentro
do sentir.

obsessão urbanoide

o que seria do mundo sem as pessoas que amam? sem aqueles que mandam mensagem primeiro. sem os que ligam no dia seguinte pra estreitar os laços, os nós. como o mundo suportaria viver sem aqueles que cuidam não só de si mesmos, mas do machucado do outro também – por caridade ou por serem bons demais? como o universo conseguiria dar à luz tantas estrelas sem os que enfrentam a solidão de frente, com o peito aberto, pra depois contarem sobre a experiência e ensinarem outros tantos? eles se colocam na linha de frente do sentir pra poderem ter história e cicatriz pra contar. como o universo conseguiria dar conta do ecossistema sem as pessoas que ligam pra saber se está tudo bem, as que passam horas ao pé do ouvido dando risada e costurando na membrana do outro um sentimento de que vai passar. o que seria do mundo sem as pessoas que gritam pelo direito de amar, e por isso rasgam papéis, manifestam-se nas ruas, usam o corpo como voz política.

como o dia de amanhã poderia amanhecer sem aqueles que riem do nada, no meio da rua, ao menor sinal de afeto? aqueles que olham os senhores jogando dominó na praça e agradecem pois o elixir da vida continua exercendo-se nas esquinas da cidade. como poderíamos viver sem os que escrevem, aqueles que choram lágrimas que não voltam mais em finais de semana tristíssimos, em avenidas desertas e países em guerra. o que seria do mundo sem as pessoas que inflamam a si mesmas pra ele próprio não queimar? o que seria do mundo sem as pessoas que colocam fogo nas próprias línguas pra não gritar as dores do que não aguentaram? porque há essa gente que continua vivendo, ainda que com uma baita vontade de vociferar as mágoas, de ir pra longe, pra um lugar sem pressa, sem violência, sem inexatidão. há essas pessoas que viram o viaduto mas não chegaram perto, os que avistaram a oportunidade de dar as mãos aos que não conseguiram viver, e mesmo assim optaram por permanecerem aqui, completando com amor a parte que falta na existência humana. porque o mundo só é equilibrado desta forma por causa daqueles que pintam memórias em paredes mofadas, dos que dançam com os pés cheios de tinta pelo meio da casa, dos que fecham os olhos embaixo da chuva e entoam hinos pra algum deus poder iluminar toda a vizinhança. tem sempre alguém orando pelo mundo em algum prédio na cidade. há sempre alguém imaginando que amanhã a desigualdade terá ido embora pra nunca mais voltar. tem sempre um ser humano desejando urgentemente a cura pra alguma doença – a inexistência de afeto entre nós prevalece.

há sempre algum poeta estendendo os limites do pensamento pra ver se consegue puxar outras pessoas pra dentro do sentir, outras pessoas pra cá. o que seria do mundo sem tanta gente amando nele? confesso que não sei… confesso que não sei.

três

voe inteiro pras suas próximas relações
nenhum pássaro chega ao seu destino
com apenas uma de suas asas.

quem se importa com as dores crônicas dos escritores que sentiram a dor da despedida e depois escreveram sobre ela pra se salvar, e acabaram salvando os outros também?

a todos aqueles que escrevem com a alma

para caio fernando abreu

o mundo não se importa com quem escreve.

o mundo se importa com a criação de um novo banco,
de um novo partido político, com a bolsa de valores,
mas com escritores? não.

me respondam
como pagaremos as contas no final do mês se vocês não
acreditam em nós?
como pagaremos o gás, a internet, a água
se nossos livros são menos importantes do que a queda
do dólar
do que a fofoca das revistas de celebridades
do que a correria de quem precisa bater o ponto?

aliás
quem paga a nossa conta
quem compra o nosso pão de cada dia
quem, vendo o escritor faminto da necessidade de ser visto, concede-lhe exposição?

o mundo fecha os olhos porque é mais fácil não enxergar aqueles que observam demais. os que têm o trabalho redobrado de decifrar o indizível, tatear o imperdoável, e escrever sobre os sentimentos mais complexos, sujos e profanos da humanidade.

quem é que pega na minha mão pra aliviar a dor frequente de me derramar?

quem se importa com as dores crônicas dos escritores que sentiram a dor da despedida e depois escreveram sobre ela pra se salvar, e acabaram salvando os outros também?

os primeiros a abraçarem as dores dos amores perdidos nas esquinas de São Paulo; que resolveram pintar as cidades mais bonitas do que elas são; que se atreveram a imaginar outros cenários através da escrita?

e quem é que alimenta os meus sonhos?
coloca comida no coração das minhas angústias,
preenche a lacuna dos dias tristes e deprimidos,
compreende os vazios que moram em mim?
quem é que escreve a minha história?
quem se senta comigo pra ouvir falar do quanto fui machucado, exposto e maltratado?

quem é que me escuta?

quem é que, sabendo de todas as minhas dores, também escreve sobre elas?

quem é que se importa com as pessoas que deixei ir embora
com as dores que tiraram os sapatos, pisaram os pés no carpete e entraram na minha casa?

o mundo não está preparado pra quem escreve.
pros que sobem até o último andar de um prédio comercial e, abraçados à chance de partirem, decidem permanecer. pros que não se jogaram das pontes, mas se jogaram no ácido que é existir [e saber da própria existência, porque muitos não sabem].
pros que colocaram suas próprias vidas em livros, textos, contextos, ficção.
pros que tornaram a palavra sua própria amiga
e dela foi confidente, consciente, mais-que-íntimo, coração.

é isto: quem escreve tem o coração amarrado no cansaço do mundo.

mas estamos todos cansados, não é mesmo?
e já não existe amor pra nós.
o mundo nunca se preparou pra aqueles que escrevem.

molhar seus pelos com a língua
até que eles estremeçam e vivam
a experiência da pele quando em
atrito com alguém.

quando a língua descobre o caminho do corpo

abaixar sua calça sentir o cheiro do desejo
me convidando pra te conhecer um pouco mais.
desabotoar a timidez, desmanchar o medo,
domesticar a adrenalina
e colocá-las do outro lado da cama, longe da colisão.
observar seus olhos brincando de ir e vir enquanto
minha boca
beija o coração da sua intimidade.
fazer sexo não, porque sexo todos fazem
fazer amor
elaborar o amor
arquitetar o amor
torná-lo nosso.
se apoderar do amor, como quem detém controle sobre
a própria vida
mesmo sabendo que ela, às vezes, está nas mãos de
deus, do estado, do destino, do futuro
mas continuar com a falsa sensação de que tudo que

temos é o momento, ali, pra nós
de que os nossos corpos foram feitos pra durar
[atravessar os verões indianos e os invernos
intergaláticos
as chuvas torrenciais de janeiro e o árido dos sertões]
de que nossas solidões se encontraram
e o mundo entrou nos eixos, voltou a girar.

sem pudor nenhum conhecer cada parte sua
negligenciada
por outras mãos – apreciar o sabor da sua pele
enfeitiçando minha saliva
molhar seus pelos com a língua
até que eles estremeçam e vivam a
experiência da pele quando em atrito com alguém.

abaixar sua calça e suas emoções
despistar a angústia de não saber sobre o amanhã
passear com os dedos pelas costas
descobrindo países na vértebra que te sustenta
nos ombros que te definem
nos pés que te fazem voar.

e por último
escalar o ápice da física humana
que acontece quando duas pessoas
se chocam e produzem outras
dimensões de afeto
os olhos em uma cor só / brancos
o tremor das mãos paradas no ar pedindo por
mais endorfina
a voz rouca de tanto amor entregue

o suor escorrendo pelo rosto
denunciando que ali houve
um terremoto
um milagre
uma reconciliação
o cansaço das pernas em tom
de desistência
e finalmente o prazer saindo do corpo
materializando o amor
arquitetado
elaborado
e deliciosamente nosso.

quatro

o que fazem dois homens que foram
ensinados a se repelir pra não pecar?

se amam.

queen & slim

quero fugir da cidade com você.
apenas com a roupa do corpo, sem muita grana no bolso, sem avisar ninguém, eu quero conhecer o mundo com você.

pegar o carro, as vontades imediatas, os pensamentos em desatino, e ir. sem direção, seguindo o fluxo do coração que corre nas veias e traz essa sensação de juventude na pele.

a gente não tem absolutamente nada a perder
e as estradas nos guiarão para o fim de nós mesmos.

[ou para os começos]

quero fugir do país com você.
atravessar a fronteira, tomar banho de mangueira,
pedir carona a qualquer veículo que passar.

parar na casa de alguém no interior de um lugar que
nunca ouvimos falar.
ficar ali por dias conhecendo a cultura, absorvendo do
idioma, brincando na beirada do desconhecido, do que
não é usual, do que nunca pensaríamos pras nossas
vidas.

eu quero a liberdade de colocar o corpo pra fora da
janela do carro,
levantar os braços e sentir o vento contornando toda a
minha pele,
nela desenhando sensações que meus poros nunca
darão conta
de esquecer.

quero me aventurar neste mundo com você.
virá-lo de cabeça pra baixo,
mudar a trajetória dos nossos destinos,
instigar o mais curioso e poderoso deus.

quero desafiar o poder de deus sobre mim.

quero fazer tudo ao contrário do que ele espera.
deixar tudo bagunçado, sem roteiro, sem direção.
e ir.

ir longe.
ir aonde ninguém foi.

ir pro começo de mim mesma.
chegar ao final de você.

beijar sua boca
fazer amor enquanto estrelas formam constelações
de aquário, capricórnio ou qualquer outro signo
que minha língua faz questão de esquecer.

quero pular nas suas costas e ser levada a pé
a espaços que nunca imaginaria
e que meu emprego não me permite sonhar.

eu quero sonhar todas as possibilidades
de excitação contigo: não falo de sexo,
mas sim de quando estamos felizes
e todos os pelos do corpo ficam em pé
e reverenciam a felicidade.

é isso que quero.

sair desta realidade.

mergulhar em outra.

e me levar com você.

vamos hoje?
vamos agora?
vamos comigo?

cinco

disseram-me que pra te amar eu precisaria
ir pro inferno.
mas o que seria do paraíso se eu não
pudesse te amar nele também?

me nego a dividir o teu sorriso
com quem nunca te viu
brilhar.

em um paraíso que não habito

os anjos conhecem teu nome.
é pra eles que rezo sempre que penso em você.
deus sabe que te guardo em um lugar na minha pele
que ninguém conhece – o mundo ainda não está
preparado pra dois homens que se amam.
carrego memórias que não compartilho com o universo.
me nego a dividir o teu sorriso com quem nunca te viu
brilhar.

e te espreito, de longe, pedindo aos céus que guiem seus
passos quando eu não consigo.
teu coração não foi feito pra habitar o mesmo paraíso
que o meu.

é sabido que os grandes amores
não foram feitos pra durar.

nota de rodapé sobre a minha (nossa) música favorita

intimidade da Liniker tocava no celular enquanto minhas mãos tocavam outra espécie de música no seu corpo. é sabido que os grandes amores não foram feitos pra durar. pensei, depois de sair da sua casa, naquela manhã densa e dolorosa na qual nos despedimos pra nunca mais voltar, qual seria a trilha do nosso quase-amor. do nosso quase-casamento-em-Bali ou então do nosso quase-casamento-em-alguma-praia-pequena-do-Brasil. que espécie de melodia poderia vestir as expectativas e servir de alento pras maiores desilusões. e no meu sonho, na vontade intrínseca de que as coisas tivessem dado certo, a voz rouca dela cantando "que nosso carinho não dói em ninguém" e a voz rouca da sua pele tilintando no meu mundo – a gente era feliz. a gente era incrivelmente feliz. o casamento tinha acontecido, eu tinha sentido o gosto da eternidade na ponta da tua língua, eu acordava ao teu lado em uma manhã ensolarada e ouvia você dizer: *bom dia.*

o amor é
um lapso de misericórdia

te guardo a noroeste do meu coração
próximo à artéria que dá pro esquecimento:
qualquer dia desses
você pega a estrada e esquece de mim

eu sei que dá um medo danado
de nunca mais encontrar alguém
que vai te olhar com carinho,
mas você não sabe que essa
pessoa sempre foi você?

carta pra além do muro

é sempre assim no começo.

uma falta de ar, alguns dias em casa chorando, outros procurando por você até meu cérebro parar de te recriar ou inventar situações em que a gente se encontra pra se acertar.

mas adivinha? não vamos.

e eu sou o seu eu do futuro te avisando que vai ficar tudo bem, porque você sempre foi muito forte pra atravessar os fins. você, tenho observado, sempre foi muito resiliente pra vencer a dor, a tristeza, a ruptura. lembra daquele namorado que disse que te odiava? você passou por ele e continuou se entregando como o mar se entrega à orla da praia. ele bem que tentou apagar sua luz, te tirar do eixo, te fazer desacreditar na ideia de que o amor é pra você.

ele é, sempre foi.

desta vez não foi diferente.

talvez mais doloroso? sim. porque você gostava real desse cara. até sonhava em ter filhos com ele. ele conheceu sua mãe, foi à casa do seu pai, encontrou seus melhores amigos.

ele dedilhou tudo sobre você, seus gostos, manias, as fraquezas... inclusive as usou contra você.

vai doer mais dessa vez porque durou mais tempo, passou por dois verões e duas primaveras, e agora acabou em plena quarentena.

vai ser difícil. mas o que foi fácil na sua vida?

você saiu cedo de casa pra estudar, foi morar em outro lugar, longe da sua família, pra se sustentar. já passou por dias muito solitários, sem nenhum amigo pra quem pudesse ligar e chorar.

já precisou tomar remédio pra suportar o mundo; já se despediu de trabalhos que acabaram com sua saúde mental, já enfrentou o medo de não saber como iria amar de novo.

mas aí você amou e amou mais, mais forte, com mais intensidade.

está me entendendo?

eu sei que dá um medo danado de nunca mais encontrar alguém que vai te olhar com carinho, mas você não sabe que essa pessoa sempre foi você?

eu sei que dá um medo danado de nunca mais se apaixonar e ver série agarradinho e comemorar um, dois, seis meses de namoro, mas você não estava aqui antes, mergulhando em si, sendo completo na própria solidão?

então.

chore sim.
crie outras memórias sozinho, também.

mande mensagens pra si mesmo quando quiser correr de volta pra ele.
ligue pros seus amigos, peça ajuda, arrego, cuidado.

e cuide de você.

eu sou o seu eu do futuro te dizendo que vai ficar tudo bem, que sempre ficou.

eu vou te ver passar por mais este ciclo, e chegando aqui, onde estou agora, você vai ver que precisava muito passar por isso.

mas você não está sozinho.

eu estou passando por este momento triste contigo. olha pra mim. ou melhor, pra ti.

olha pra você, que é no teu interior onde habitam todas as respostas pra sua cura.

e eu estou te esperando aqui, deste lado...
completamente curado.

lágrima

uma gota ou montanha d’água
que leva emoção no nome.

eu não quero ser a pessoa que
precisa sedimentar uma
perda colocando outra no lugar,
pra distrair a dor e empurrá-la
pra longe.
porque é justamente a dor que
fará a minha pele mais firme
o meu corpo mais forte
e de mim maior.

demora até ficar tudo bem, mas uma hora fica

demora até ficar tudo bem.

há os dias de chuva, as ligações que caem na caixa postal, sua voz que ainda não saiu da minha cabeça. escuto sua risada ao fundo de qualquer movimento que faço, tem um pouco do seu bom humor me guiando pela escuridão dos dias,
demora até ficar tudo bem.

eu não vou ser aquele que finge estar tudo em paz quando o coração chacoalha feito abalo sísmico. não serei o que cobre o peito no frio e diz que as artérias vão bem sendo que o corte permanece à mostra. não serei desses que vai contar de você aos amigos como quem ameniza um machucado porque sabe que dali uns meses vai parar de doer.

vai parar de doer, sim. porque sempre para.

mas eu não vou contar a história feliz que todos esperam ouvir.

não vou contar a história de superação que os filmes estadunidenses costumam mostrar sobre casais que dão certo e depois dão errado, de quem seguiu em frente mais rápido que corredor de cem metros rasos, de quem conseguiu engolir a lágrima pra sorrir no dia seguinte.

eu não vou engolir minhas lágrimas. eu vou secá-las pacientemente.

não vou correr a maratona como os atletas fazem. eu vou no meu tempo, um pé na frente do outro, uma tristeza caindo no abismo de cada vez. eu não vou saciar nenhum ouvido alheio. toda a verdade sobre você será contada.

eu não quero ser a pessoa que precisa sedimentar uma perda colocando outra no lugar,
pra distrair a dor e empurrá-la pra longe.
porque é justamente a dor que fará a minha pele mais firme
o meu corpo mais forte
e de mim maior

não serei a-pessoa-feliz que acredita na positividade dos términos
porque eles doem feito rachadura naquilo que se confiava, porque é horrível acordar com o inchaço das expectativas te dizendo que o amor falhou; porque é vergonhoso como dependemos emocionalmente de

alguém e, muitas vezes, não sabemos como voltar atrás, se recuperar de volta, conseguir ser feliz; porque uma hora fica tudo bem,
mas até chegar lá demora, e é a demora que corrói.

não serei a pessoa feliz que superou as mentiras, pois elas doem feito choro que ficou preso nos ombros me lembrando de traumas antigos. não entrarei neste molde do dia seguinte, onde as conversas sobre culpa dão lugar a assuntos amenos
sobre como a gente combinava, ou como a gente era feliz

[nós éramos?]

não vou sorrir quando a tristeza em mim for fogos de artifício existindo no céu de Copacabana, também não sairei correndo atrás de outra pessoa pra te substituir ou te tornar menos doloroso. tudo o que nos trouxe a este momento será digerido pouco a pouco, como quem precisa elaborar melhor o paladar, entender melhor um idioma, experimentar novamente o poder da cura.

e aí eu vou me curar.

voltarei a pisar com o pé no chão sem medo da perna falhar ou dos pensamentos procurarem por você. respeitando todos os meus espaços, todas as fronteiras que construí pra viver este momento solitário, triste e de volta à minha própria respiração.

demora até ficar tudo bem, mas uma hora fica.

há dias que doem mais que outros.
dias de insuficiência emocional.
dias em que me levanto da cama,
mas meu coração permanece lá,
adormecido. é preciso às vezes não
enxergar o que existe no mundo.

primeiro de abril

há dias que doem mais que outros. dias de insuficiência emocional.

dias em que me levanto da cama, mas meu coração permanece lá, adormecido. é preciso às vezes não enxergar o que existe no mundo. então ele, rebelde, me faz levantar da cama, se prende no quarto, e descansa.

há dias que doem no peito feito uma lança. e não me sinto preparado, nunca, pra rapidez com a qual a flecha me atinge. por mais que eu tenha crescido sendo alvejado por expectativas e projeções, não me acostumo, jamais, a chegar no final do dia e me sentir sozinho.

não é só sobre solidão, que dói e machuca. é sobre procurar o ar pra alimentar os pulmões
e não encontrar nada nem ninguém. ninguém que absorva ou queira compreender o peso destes dias em que não me encontro, não me sou.

dias em que a água não cai da torneira, as janelas emperram pra que o barulho de fora não incomode, as músicas não produzem som algum pra alimentar meus ouvidos.

dias impossíveis de serem vividos com a lucidez humana. dias impossíveis de serem vividos com a experiência que adquiri. mesmo nos mais tristes, os quais passei sozinho, apenas comigo mesmo, não vivenciei este buraco no coração. este aperto no peito de não saber sobre o dia seguinte. esta falta constante de algo ou alguém cujo nome eu não sei. eu não sei se tem um pouco de você nessa confusão desesperada de não me achar e reconhecer; não sei se é fruto desta solidão de me perceber no escuro outra vez; ou se é apenas os dias sendo o que são: completos em sua tarefa de existir.

há dias que doem mais que outros.

seis

quando você duvidar
que é capaz de renascer
através da dor
repare nas estrelas
e em como elas transformam
os fins em matéria-prima pra existir.

em uma lágrima mora a
despedida de uma relação de
anos, a morte de alguém que se
ama muito, a dor das partidas –
da vida, do país, de si mesmo.

todo rio que escorre dos olhos é sagrado

choro sozinho porque não quero que escutem o peso das lágrimas caindo no chão e abrindo crateras na minha frente – considero-as sagradas. não quero que sequem essa montanha d'água que se acumula e dorme em mim durante o dia pra enfim, de noite, desaguar. carrego oceanos, rios, aquários e países inteiros comigo. a água da Oceania, das pessoas que não choram desde a última vez que seus olhos viram um absurdo, dos que choraram tanto que já não existe sentimento ou comoção – desabo por eles pois aprendi que, ao guardá-las, a ressaca do mar torna-se maior. oro em sua companhia, aqueço-as debaixo do cobertor e até banho tomam. misturam-se ao líquido quente que sai do chuveiro, e entendem: são opostas em suas funções. sempre me perguntei, no entanto, qual a diferença delas pra água que bebo e me lavo. a resposta? sua complexidade.

em uma lágrima mora a despedida de uma relação de anos, a morte de alguém que se ama muito, a dor das partidas – da vida, do país, de si mesmo. cabem discussões e acúmulos, mãos no rosto e braços envoltos em joelhos, silêncio e escuridão. choro sozinho por respeitar todos os motivos pelos quais resolvem sair pra encontrarem a dureza do mundo. lágrimas são raras e íntimas demais pra serem vistas ou consoladas por quem nunca teve a capacidade de transbordar. choro em solitude porque encontrei uma maneira de gritar sem que meu corpo precisasse sucumbir, são os meus olhos que atendem à infinitude da vida precisando ser sentida. choro sem espectadores porque pra minha dor não há plateia, e me rasgo pela soberba dos que não têm tempo pra sentir. é preciso reservar espaços, cavar buracos, procurar esconderijos, arquitetar territórios, preparar-se: quando os olhos pedem pelo mar, tem de se ir até a orla da praia, colocar o pé quente na água fria e se deixar afogar – a cura só é possível àqueles que não se demoram em suas dores.

qual é a média de dias, quem
sabe meses, que um ser humano
leva pra esquecer outro?
qual a média de primaveras,
anos bissextos, luas cheias e
translações da terra pra um
pensamento finalmente deixar
de arder a pele feito corpo
debaixo de sol?

vinte e um de abril

tenho me alimentado de mágoas e mesmo assim sinto fome. escalo a montanha da superação, mas ainda assim tenho caído no chão e espatifado todos os meus ossos. como faço pra me reconstruir? existe alguma equação que eu possa resolver pra desmontar este quebra-cabeças que ficou na minha mente depois que você foi embora? sigo me agarrando a momentos de felicidade lancinantes e nem todo o choro do mundo é capaz de silenciar a minha boca. quanto mais eu choro, mais lágrima brota em mim. a tristeza virou uma samambaia que, não contente em existir no quarto, cresce pro interior de outros quartos, horizontes. me diz quando é que essa memória de você chorando pela tela do celular porque era o começo do nosso amor vai embora. eu preciso de uma data precisa. eu necessito saber qual será o dia em que acordarei e sua imagem dançando, como uma fotografia, terá escapado pelas minhas mãos. qual será a hora exata que pensarei no amor e não me sentirei triste, pequeno, sem autoestima pra começar qualquer relacionamento.

me escreve, me grita, me conta, fala alguma coisa porque preciso me acalmar da ansiedade de não saber quando é que sua presença finalmente terá outras dimensões pra atormentar. eu não aguento mais ser aturdido pela ideia de você me trocando, colocando pra escanteio, escolhendo seguir a vida sem mim. me diz, qual é a média de dias, quem sabe meses, que um ser humano leva pra esquecer outro? qual a média de primaveras, anos bissextos, luas cheias e translações da terra pra um pensamento finalmente deixar de arder a pele feito corpo debaixo de sol? existe alguma fórmula matemática, científica, real à qual eu possa me apegar e, enfim, desapegar de você? eu quero um horário exato, uma estação certa, um cálculo perfeito, uma máquina do tempo pra simplesmente passar pra frente todos os meses que vou falhar e chorar mais do que o necessário; todos os dias que vou te mandar mensagem, pedindo pra voltar; todos os finais de semana que, bêbado, vou te ligar e balbuciar palavras sem sentido, até que no meio de tudo um "eu amo você, não tem jeito mesmo da gente continuar juntos?" surgirá dos meus desejos trancafiados. eu preciso de qualquer sinal de que minha vida, lá no futuro, vai ser melhor do que a que eu venho levando agora, melhor do qualquer noite em que estendo meu corpo por mais de doze horas de sono pra não pensar em você, melhor do que qualquer vontade de te esquecer, já que do meu organismo você não sai. eu tenho me alimentado de mágoas, bebido das traições, tomado banho com as mentiras, vivenciado os silêncios de um fim que revelou o caráter destruidor da minha confiança em alguém: eu te dei as flechas, segurei os arcos e você, sabendo das fragilidades que em mim moravam, atirou. os meus ossos estarão pra sempre no chão.

você é o meu voo que nunca aconteceu. você é a adrenalina na boca do estômago que nunca atravessou meu sangue e dançou sobre os meus sonhos durante a decolagem.

oito de maio

então me dei conta de que te perdi. como aquele passageiro que se prepara pro voo, arrumando as malas, os pensamentos, as intenções. ele chega na área de embarque, saca o documento da carteira e percebe que o RG não está ali. e chora, porque era importante que voasse dali pra outro lugar. você é o meu voo que nunca aconteceu. você é a adrenalina na boca do estômago que nunca atravessou meu sangue e dançou sobre os meus sonhos durante a decolagem. você é a cidade no meio do meu caminho que nunca mais vou ver com meus olhos flamejantes. você é a pessoa que nunca estará à minha espera no destino. você é aquele com quem nunca mais terei a oportunidade de colidir.

porque existe sempre um céu
assistindo às nossas vidas
existe sempre um céu
sussurrando em nossos ouvidos:
continuem
ainda que não saibamos bem
pra onde.

um sol
no fim do túnel

o céu tem sido meu marca-passo,
marca-tempo.
se ele acorda cinza, acinzento junto.
se ele acorda em sol, esquento a pele e igualmente
brilho

acho que é por isso que olho
tanto pra cima: procuro onde
começa e termina este coração azul
constante que regula o espaço
e os homens
e que nos vê nascer aos montes,
dispostos, sempre, ao amor

porque existe sempre um céu
assistindo às nossas vidas
existe sempre um céu
sussurrando em nossos ouvidos:

continuem
ainda que não saibamos bem pra onde

mas seguimos
temos o amanhã pra
vê-lo nascer

temos outro dia
pra, enfim, podermos
sair de casa e abraçá-lo
não só com os olhos
mas com as mãos também.

nenhum telefonema pode
preencher a lacuna
que é ter uma ausência vivendo
no lugar do coração.

deus me encontra neste texto

ligo pra telefones mudos
oro pra deuses que não têm ouvidos
peço por salvação a quem fecha os olhos
e compreendo: a dor do amor é somente minha.

nenhum telefonema pode preencher a lacuna
que é ter uma ausência vivendo no lugar do coração
ainda que minha mãe fique horas a fio no celular
comigo.
quando ela desligar eu chorarei da mesma forma
inundarei o corredor do apartamento,
a sala, o quarto, a cozinha, os cadernos
e ali ficarei pelo resto dos dias.

nenhuma salvação vem do mundo
que já está no fim:
meu amor termina com o apocalipse
não resta nada do que se orgulhar

e não nos encontraremos em uma vida posterior a esta
porque lá também a teremos destruído.

e deus,
deus me vira as costas
esquece de responder meus recados
ignora minhas orações
mas me encontra e me cura neste texto.

sete

aprendi a ficar sozinho como quem
entende a importância de molhar os pulsos
antes de entrar no mar: nadar na infinitude do amor
requer conhecimento sobre
o próprio corpo
coração.

será que se eu fizer o trabalho de me pegar pela mão, como uma criança perdida no universo dos desalinhos, eu aceito ser pego, ser cuidado, me cuidar?

é sempre tão longe voltar atrás

será que se eu voltar agora pra mim eu me reconheço? se eu pegar o caminho de volta, transbordante em obstáculos e dias ruins, cheio de noites lacrimais e desejos de ser do mundo, eu encontro algo bom, bonito, vivo? o que de vivo há em mim? se eu chegar na porta da minha própria casa, será que o cheiro estará o mesmo – pão com mel? será que o perfume da paz invadirá meus pulmões e morará neles novamente; a pele sedenta com fome da própria cama, do banheiro, das paredes. se eu decidir, agora, voltar à primeira fase, ao primeiro momento, à primeira vez de mim mesmo, será que choro, sinto o espanto de me perceber limpo e sem nenhuma vontade de me abandonar, percebo uma luz na ponta dos dedos? será que me reconheço com todas as falhas possibilidades tristezas egoísmo inadequação? será que enfrento todos os meus traumas demônios misérias e solidões? será que gosto de mim se voltar a me entender e enxergar e perceber?

será que se eu fizer o trabalho de me pegar pela mão, como uma criança perdida no universo dos desalinhos, eu aceito ser pego, ser cuidado, me cuidar? entende o que falo? é sobre quando você precisa voltar a si próprio como única alternativa de sobrevivência. como quem esquece a roupa no varal em dia de tempestade, como quem perde a chave de casa e pula a janela porque ne-ces-si-ta regressar ao próprio lar, como quem esquece uma memória sobre a cômoda e irrompe em sonho pra poder recuperá-la. será que se eu me atrever a me revirar eu encontro outro Eu? ou sou apenas eu sendo eu em minhas projeções? preciso de qualquer coisa que faça sentido, porque agora eu já não faço, já não estou aqui.

vou beijar e ser beijado, amar e ser amado, sentir o infinito que é estar no mundo e vivê-lo em intensidade. não vou me desculpar por ser intenso, não vou falar baixo, não vou agir como se não quisesse. porque eu quero. eu vou.

meu coração é uma pista de corrida

quero correr pela orla da praia até perder o fôlego e implorar a deus pra poder voltar a respirar. eu quero o suor correndo maratonas pelo meu corpo, disputando corrida com o meu sangue pra ver quem corre e se diverte mais. quero entrar no mar e morar nele, ou ele morar em mim, não importa: preciso da água sabendo que meus poros sentiram saudades, e que estiveram este tempo todo com vontades absurdas de senti-lo novamente. vou olhar pro horizonte, aquele que aponta pro morro dos Dois Irmãos, e imaginar uma cena no céu. quero, de volta, poder criar situações com as nuvens; cada uma dizendo sobre um aprendizado que até então eu nunca tivera oportunidade de conhecer. quero subir na pedra do Arporador e fazer selfie, post, amigos. beijar os gatinhos que ali ficam, e esperar pela mordida – que não virá.

depois, quero beijar o rosto da minha mãe três vezes em sinal de respeito à solidão que se estendeu entre nós durante o caos que vivemos. quero dizer a ela o quanto a amo, e que meu amor ficou mais forte, mais vivo, mais real. que o pavor de esquecer seu rosto me fez pintá-lo na parede do meu apartamento, e que por amor ao futuro, decidi que iria vê-la nem que fosse pela última vez. mas, ainda bem, será a primeira vez outra vez. a primeira de muitas.

quero comprar rosquinha doce na minha padaria favorita e comer sem nenhuma culpa ou medo do amanhã vir e roubar alguém que amo muito. quero sentar-me, à beirada do sol, e experimentar o sabor dela reconhecendo minha língua, meu paladar e olfato. ela se sentará com todos os meus sentidos pra conversar sobre como viver é bonito. vou voltar a comer besteira como se o mundo não fosse acabar amanhã – porque ele não vai. e vou esperar pelo entardecer onde não estejamos mais presos, confinados, tristes por mais um dia cujos olhos não foram de todo livres.

quero libertar meus olhos pra ver a vida sem a pressa que o mundo demarcou no coletivo imaginário do ser humano. e quero poder não só ver, mas enxergar também: pessoas, ruídos, falhas e explosões. pessoas caminhando atrasadas pelas ruas da Avenida Paulista; ruídos entre o que nossos corações querem falar e o que outros escutam; erros sendo colocados em um lugar de aprendizado, não em um ambiente condenatório; e explosões de paz em cada um que desejar viver, porque viver é bonito e merece todos os aplausos do universo.

observar o céu à noite e voltar a contar as estrelas por amor àquilo que continua: deus continuará nos dando a oportunidade de ter o ar residindo nos pulmões; de ter, na premissa do dia seguinte, a esperança da melhora. ainda teremos nossa sensibilidade pra ser colocada à prova, pra ser vestida como um colete que protege contra a guerra do sentir pouco, do não sentir.

eu vou sentir muito mais do que sinto agora. o aroma das flores, dos jardins, das ruas pavimentadas, da agitação dos prédios, do barulho dos bairros, da efervescência da luz caminhando lenta sobre o telhado das casas... vou sentir o amor pulsando pelos meus amigos que não via há algum tempo e com eles vou chorar, rir, beber e perder a cabeça, o pensamento, até voltar à tona e me recuperar pra começar o ciclo novamente. vou beijar e ser beijado, amar e ser amado, sentir o infinito que é estar no mundo e vivê-lo em intensidade. não vou me desculpar por ser intenso, não vou falar baixo, não vou agir como se não quisesse. porque eu quero. eu vou.

quando tudo isso acabar, vou começar de novo.

pintar telas. rever sonhos. contar pra alguma criança o que é o amor. ouvir de uma criança o que é o amor. afogar a tristeza, voltar a orar, agradecer. estender roupas e emoções no varal.

quero correr pro mundo, pra tudo, pra vida, como se fosse a primeira vez.

poética da palavra

entrar dentro da sentença
e só sair dela quando
o sentimento terminar
de germiná-la e transformá-la
em oração.

***

pedir colo ao poema
como quem, exausto de escrever,
precisa cair nos
braços da palavra
e descansar.

toda esperança é uma aurora boreal

sinto meu corpo vazio de esperança. um receptáculo cuja função é inútil porque não há água. eu sou a ausência das coisas, o eco ressoando pra paredes mudas e ouvidos incertos. me sinto à margem do universo explodindo enquanto assisto a vida passar sem pedir nenhuma desculpa por estar caminhando tão rápida, tão voraz. e eu no meu quarto de paredes escuras e sentimentos inevitáveis, penso: o que será de nós amanhã? haverá planeta daqui dez anos? estaremos em guerra por paz? a complexidade do que não alcanço, das discussões políticas que não dão em nada, do horror que é viver em um país tão brutal, a distância sedimentar que nos torna ainda mais solitários. morremos de angústia, de medo, de tédio, de falta. morremos por conta das crises: econômicas, de diabetes, hipertensão. morremos de pânico, de depressão, de ansiedade.

a boca esperando sempre a próxima gota d'água, o próximo feriado pra poder viajar pra praia, a próxima fatura pra poder comprar mais. sempre esperamos... e assim vamos morrendo, eu vou morrendo. morro esperando que as casas finalmente virem lar, que eu consiga ver o céu mais uma vez e que, no cotidiano ato de andar pelas ruas, haja a vitória particular de me perceber vivo. sinto meu corpo oco. o Oceano Pacífico moraria nele. três Maracanãs existiriam aqui. duas Avenidas Paulistas facilmente respirariam meu ar. tenho sede, não sei do quê. sinto falta, não sei de quem. de mim? talvez de mim. saudade da paz na janela dos apartamentos, da vida nem tão acidental, profana e violenta assim. você percebe isso que estamos vivendo? o caos. andamos com a língua apontada sempre pro dia seguinte porque pensar no hoje, no agora, é uma desgraça. pensar na guerra, no pensamento ácido e nos desejos insanos é como gritar pra céus vazios: qual nuvem atenderá nosso pedido? qual deus escutará nossas reclamações? existe um silêncio no mundo, no supermercado, nas lotéricas, nas ruas que um dia já foram movimentadas. pergunto-me, quando sairmos do silêncio, continuaremos apáticos? continuaremos silentes, com medo de levantarmos a voz? continuaremos almoçando a agonia do espaço e nos contentando com ela? continuaremos deprimidos, ansiosos, endividados e tristes, mas em silêncio, porque calar é menos trabalhoso do que falar? pois eu falo. não estou bem, em mim falta algo, outra parte, mais feliz, mais empolgada, mais viva. onde me recupero, pra qual parte do caminho eu tenho de voltar pra me recuperar, pegar de volta, acreditar novamente? mas acreditar em quê? em quem? por quê?

não sei, mas sinto que a única maneira que teremos de vencer o mal será através do ser-querer-pensar. através das esperanças que se encontrarão à tarde, pouco antes de anoitecer, no mesmo céu, iluminando cidades que estiverem acordadas; iluminando pessoas que estiverem, como eu, atentas a novas formas de viver. sedentas, à procura do real significado de existir.

nada é a mesma coisa depois de um segundo olhar, depois de um segundo toque, depois de um segundo sol após semanas de frio.

considerações pra depois do fim do mundo

o dia amanheceu bonito depois de muitas manhãs cinzentas aqui no Rio de Janeiro.

sinto saudade de tudo, a vida parece acontecer timidamente: não há ninguém nas ruas, não escuto a buzina dos carros desesperados pra chegarem mais cedo em casa, não vejo a correria das pessoas em busca dos celulares, dos ônibus, de atenção.

acordo depois das duas da tarde, perco o amanhecer das nuvens tristes com tudo que têm acontecido, um silêncio ensurdecedor emoldura os andares dos prédios, e até os pássaros deixaram de cantar, já que os ouvidos alheios se tornaram portas fechadas e solidões compridas.

sem perspectiva de futuro, e sem o sinal aberto pro presente, caminhamos.

dia após dia, solitude após solitude, desesperança após desesperança, prontos pro momento em que poderemos sair das nossas casas pra sermos, novamente, cidadãos do mundo.

prontos pra sermos desesperados de novo, por algo ou por alguém.

prontos, de novo, pra corrermos pela orla da praia, atrás dos orçamentos que precisamos entregar a tempo, atrás dos prazos do emprego. penso que, no fim, tudo que sempre quisemos foi a adrenalina da corrida.
de estarmos sempre a um centímetro de chegar ao final do projeto, do trabalho da faculdade, de terminar um relacionamento.

o que nos comove é a adrenalina de sentir que falta sempre alguma coisa, algum legume que ficou no carrinho de supermercado, alguma moeda que caiu da carteira e não tem como recuperar. mas é isso que chamamos de vida, não é? essa coisa que se perde, essa parte da gente que fica pelo caminho, e aí se torna outra, porque esbarra em outras partes, de outras pessoas, e juntas já não são as mesmas.

nada é a mesma coisa depois de um segundo olhar, depois de um segundo toque, depois de um segundo sol após semanas de frio.

se eu te ligar, você provavelmente vai desligar na minha cara ou então ficar feliz porque quebrei meu orgulho e dei o primeiro passo rumo a, talvez, alguma reconciliação.

duas e cinquenta e oito da manhã

são três da manhã e não consigo dormir.

olho pro teto do meu quarto, pra janela que mantém uma fresta de luz vibrando, pra escrivaninha que tem a caixa onde estão as nossas fotos.

meus olhos não fecham mesmo que eu os cerre com força. todos os meus pensamentos vão em direção a uma cena de você cuidando de mim logo depois do carnaval, quando caí doente.

quero te ligar pra te contar essa memória que apareceu, mas se eu ligar você não vai atender, ou melhor, entender. se eu te ligar, você provavelmente vai desligar na minha cara ou então ficar feliz porque quebrei meu orgulho e dei o primeiro passo rumo a, talvez, alguma reconciliação. ou pelo menos a uma tentativa de deixar os sentimentos mais calmos, menos pontiagudos.

quero te ligar pra dizer que lembrei do dia em que você caminhou a pé do Flamengo a Laranjeiras debaixo de uma chuva torrencial enquanto eu aguardava no pronto-socorro alguma informação sobre meu estado de saúde. você correu até mim pra me abraçar e dizer que daria tudo certo. depois, parou na farmácia, comprou os remédios, e ficou comigo a noite toda na cama, medindo a temperatura do meu corpo. aquela foi a última vez que tenho nítido na cabeça que estivemos juntos, de verdade, como parceiros. aquela foi a última vez que olhei pra você e meu amor era maior do que a minha falta de fé em nós.

eu tinha perdido de vista essa memória, todavia, queria te contar.
dizer que tenho pensado em muitos sentimentos tristes e situações ruins sobre nós, mas que dá esta hora e, às vezes, vem uns momentos bonitos, algumas lembranças que vou guardar no peito e levar comigo pra sempre.

só queria poder te ligar pra ouvir sua voz, saber se está tudo bem, se continua com os mesmos hábitos, se já conseguiu um emprego.

está tudo bem, não é?

se cuida aí.

se cuida aí e boa noite.

cores de Almodóvar

às vezes me pergunto
se as estrelas
assim como nós
também se sentam
na varanda do céu
às cinco e meia da tarde
de um dia bonito
pra observarem a terra
e discutirem por que
vivemos [com o rosto pra cima]
sempre a procurá-las.

porque voltarei ao fôlego e da poesia serei um filho íntimo. porque voltarei a tocar em pessoas e sentimentos, e eles me iluminarão. porque voltarei a tocar o mundo, e ele me tocará de volta. juntos, estaremos vivos.

o vazio

há um vazio em mim do tamanho de três ônibus inúteis.

há um vazio na maneira como me alimento, nenhuma comida faz meu estômago sorrir.

há um vazio no meu sono. quanto mais eu durmo, mais cansado eu fico.

há um vazio nas minhas roupas. cabem dois de mim nas calças, blusas, sentimentos.

há um vazio nas minhas conversas, nada que os outros me digam faz questão de chegar no coração das minhas angústias.

há um vazio nas ruas, o mundo todo está ruindo.

há um vazio nos supermercados, as pessoas se esqueceram de que precisam abastecer

[a mente, o peito, as emoções].

há um vazio na minha escrita também. permaneço sem os caminhos que antigamente me guiavam pra lugares confortáveis. deus me tirou a poesia, me tirou a vontade de cantar, meu fôlego pra continuar correndo até chegar no final.

mas qual final?

há um vazio em tudo que toco, nada mais me energiza. nada me eleva. nada faz meu corpo estremecer, a cabeça flutuar, o pensamento desfalecer pra, então, descansar. nada em mim descansa. tudo é conflituoso. duro. difícil. tudo em mim absorve a energia do mundo e me faz sentir como se estivesse cansado, triste, infeliz.

há um vazio da vida correndo lá fora. há um vazio do cotidiano sendo cotidiano. há um vazio de vozes altas e conversas quase irritantes de tão calorosas. há um vazio nas farmácias, academias, praias, relacionamentos e esperanças.

há um vazio nos meus ombros, subindo cada dia mais um pouco sobre meu pescoço, até chegar à cabeça, e enfim acabar comigo de vez.

há um vazio querendo ocupar meu corpo inteiro.

mas eu não cedo.

porque tenho mais lágrima em mim do que três ônibus cheios de passageiros.

porque meu estômago voltará a abraçar qualquer alimento que receber.

porque voltarei a dormir ao lado do meu sono, com a tranquilidade de quem tem a certeza do dia seguinte.

porque minhas roupas voltarão a se ajustar a mim, e não o contrário.

porque todas as conversas voltarão a fazer cócegas no meu humor.

porque as ruas voltarão a se encher de pessoas, de passos, de sons.

porque filas infinitas serão feitas pra pagar as compras.

porque minha escrita voltará a crescer feito samambaia em parede de apartamento que recebe sol.

porque voltarei ao fôlego e da poesia serei um filho íntimo.

porque voltarei a tocar em pessoas e sentimentos, e eles me iluminarão.

porque voltarei a tocar o mundo, e ele me tocará de volta. juntos, estaremos vivos.

porque o cotidiano voltará a sê-lo, agora maior e ainda mais tumultuoso: farmácias, academias, praias, relacionamentos e esperanças estarão, de novo, prontos pra serem vividos.

e meus ombros, outrora pesados, voltarão a ser leves, como se nunca tivessem sido casa pro vazio e ausência de tudo.

porque eu não cedo nunca.
e meu corpo é mais forte que ele.

é horrível ser a pessoa que
sobrou pra contar as histórias do
mundo. as histórias que deram
errado, as que deram certo
demais.

em algum lugar ao sul da Itália

sinto a cabeça atravessada por muitos pensamentos neste momento. sinto o mundo esmagando meu cérebro toda vez que tento dormir, mas não consigo. escuto uma orquestra sinfônica em meus ouvidos. golfinhos pulam no mar, tratores passam por cima dos carros. minha imaginação inventa cidades desmoronando, gritos ocultos seguram minhas mãos; lutas internas que se parecem com algum espetáculo de MMA me empurram pra fora da cama. é horrível ser a pessoa que sobrou pra contar as histórias do mundo. as histórias que deram errado, as que deram certo demais. escrever é doloroso porque minha cabeça não para nunca. sinto que estou sempre correndo, atrás de algo ou alguém. o nada vira uma bola de neve gigante prestes a derrubar quem encontra pelo caminho. eu sou a bola de neve. eu sou os golfinhos atarantados no mar à procura de paz e silêncio. eu sou a orquestra sinfônica que não tem um dia de descanso. eu sou os próprios gritos da minha cabeça lutando contra meu corpo pra tentar descansar.

sou eu quem inventa as cidades, que as desmorona com a força das palavras. sou eu quem luta na arena e saio dela ensanguentado. sou eu o próprio pensamento me fazendo sucumbir. eu sobrei no mundo pra contar as histórias e nenhum ouvido me alcança.

onipresença-rotação

a terra abrindo e fechando os olhos ao mesmo tempo.

me lembro de quando te
abraçava naquela festa do
carnaval, onde nossos corpos
poderiam ser interrogados
por deus e mesmo assim
permaneceríamos atados um à
corrente sanguínea do outro.

someone like you

te vejo no frango que preciso temperar e na louça que sua voz automaticamente reclama, me pedindo para lavar. você dança pela casa enquanto escuto Adele no volume mínimo pra não acordar as minhas mágoas, e também no formato das nuvens, às seis da tarde, você está. antigamente eu pediria pro universo pra te tirar de mim, até me acostumar à ideia de que as pessoas que amei nunca foram embora, nunca vão. as que amei continuarão projetadas nas ruas, nas músicas, nas praias, nos livros que escrevi. continuarão vivas enquanto os pensamentos decidirem se tocar. é na sinapse que te vejo viver e ganhar forma em mim. é no encontro das minhas solidões, quando uma deixa o apartamento pra que a outra se achegue, que você aparece. na junção de dias tristes e noites insones, na agonia de dois universos imateriais que se colidem e geram uma memória: me lembro de quando te abraçava naquela festa do carnaval, onde nossos corpos poderiam ser interrogados por deus e mesmo assim permaneceríamos atados um à corrente sanguínea do outro, imutáveis. o amor é como o frango sendo temperado da maneira que você gosta só porque um dia me ensinou sobre a pimenta sobressaltar o sal. é a permissão pra que você dance na cozinha e faça meus olhos chorarem de saudade – eu me levanto também e começo a dançar contigo uma melodia que nem mesmo existe. é você desenhando estrelas, me lembrando de estender os olhos pra cima – algumas pessoas só continuam vivas porque brilham no céu.

tristeza

às vezes é preciso deixar a tristeza ser triste. é preciso não voltar a ela, respeitá-la em seu ritual máximo de ser. é preciso não a olhar nos olhos, não exigir muito, não pedir. e, com cuidado, observá-la se desfazendo no mundo de si mesma, até deixar de ser... tão triste. até que, enfim, possa se dissolver nas próprias lágrimas e voltar à tona novamente. toda tristeza, por menor que seja, necessita respirar.

a vida pulsante do universo

quero a paz da música que salvaria toda a humanidade da surdez e do egoísmo.

a certeza das manhãs que nascem sempre bonitas, esperando um olho humano pra admirá-las e retirá-las do céu – elas gostam de habitar pessoas e memórias. a esperança dos dias que dançam em lugares aonde ainda não fomos – nem iremos: no coração dos oceanos; no centro da palavra felicidade; no interior de um território chamado perdão.

quero ser a onda da praia que não quebra em lugar nenhum, que continua viva, mas recua pro mar com medo de machucar alguém.
a nuvem que deixa o sol passar, abrindo mão de se exibir pros desavisados. quero a humildade que as nuvens possuem de deixar a maior estrela ser vista e contemplada.

e quero ser os caminhos que unem amantes a emoções, as estradas que dão acesso a sentimentos e países novos. há sempre um ou dois casais encontrando-se no intermédio de si mesmos.

eu quero ser o texto que chegou àqueles que precisavam de um abraço. as palavras deram as mãos, fizeram um círculo e começaram a cantar enquanto lágrimas desciam do rosto de quem as liam. eu quero ser o silêncio apaziguador em meio ao caos e à guerra, quando tudo que lemos é o barulho da humanidade latejando nos jornais. quero ser o vento anunciando que a dor finalmente foi embora das nossas feridas.

quero o erigir dos pelos, ouriçados por encontrarem novamente a pessoa amada. o momento do encontro onde os braços não se conformam apenas com o corpo, mas se alimentam também da saudade que também veio dar bom dia. quero ser a adrenalina de uma espera pronta pra ser saciada: quando a sua expectativa em vê-lo criou bacias sedimentares ao redor dos próprios pés. e então você o viu, e já não era sobre grandes buracos, mas sim sobre completudes que se amavam.

quero ser o canto do pássaro no fio sabendo que ali não é o lugar mais seguro, mas que faz sentido revestir a energia do bairro com as melodias que emanam.
eu quero ser esse som que viaja na velocidade da luz pra encantar até os desavisados ouvidos que, cansados dos barulhos humanos, abraçam os sons do infinito.

quero a calma com que o céu se transforma do cinza pro azul, sem causar alarde pra não assustar todos os astros que se deitam e descansam.

quero eu ser o próprio descanso esperando pra ser aproveitado.

quero o vazio transcendental das casas sem ninguém. quero o pensamento em lentidão, cansado de tanto correr.

quero o universo abrindo os olhos pela primeira vez a quem estava sem enxergar por muito tempo. algumas pessoas preferem se espreguiçar pra dentro.

quero, enfim, a vida pulsante, pulsando, invariável.

cotidiano

todo dia uma notícia
de que o Brasil
repetiu de ano.

quanto custa amar neste país?
é caro.

às vezes custa sangue. dos que beijam bocas proibidas, dos que são expulsos de casa por não caberem, dos que recriam outros lares, daqueles que ressignificam a solidão.

e o sinal está fechado pra nós, que somos amor

existe um desespero em cada esquina deste país.

bocas gritam pra que passemos por esse Mar Vermelho depressa porque não se aguenta mais tantos roubos – de espírito, de paz, de dinheiro, de tudo, de tudo.

a verdade é que estamos cansados.

atingimos o ápice da insalubridade das emoções e da persistência. quem consegue lutar na rua se falta o ar pra respirar? se o preço do pão não acompanha o tamanho do nosso trabalho, e se fome já virou sinônimo de certeza? muitos abrem a boca pra beber da água da verdade, mas em nada se saciam.

existe o terror de que tudo vá pro espaço, enfim. o terror de acordar no dia seguinte e a terra ter se transformado em alguma gigantesca massa redonda sem ninguém.

como cantou Elis, o sinal está fechado e estamos parados, esperando a esperança dar as caras em sua própria convicção.

o sinal está fechado pra nós, que somos jovens, e pros que levam o amor como tática de sobrevivência – como dizer aos nossos filhos que vivemos um tempo em que ele era escasso e diminuto?

quanto custa amar neste país?
é caro.

às vezes custa sangue. dos que beijam bocas proibidas, dos que são expulsos de casa por não caberem, dos que recriam outros lares, daqueles que ressignificam a solidão. esses morrem todos os dias, sozinhos em cubículos no centro da cidade, de tristeza por tamanho risco de serem o que são, de cansaço por, ainda, se esconderem atrás dos armários, dos guarda-roupas, das aflições.

custa, por vezes, a paz dos dias cristalinos.

porque é preciso largar as mãos mediante o perigo iminente do ódio nas ruas. é preciso fazer silêncio pra tessitura da voz não incomodar ouvidos alheios. é preciso disfarçar o desejo, atear fogo nas próprias vontades, reduzir as ilusões.

custa, muitas vezes, toda semana, algumas mortes em terrenos baldios e corpos em discursos dos que estão no poder sem a ciência do seu próprio povo.

morremos porque amamos as pessoas erradas, porque decidimos pela honestidade do sentimento abraçando o que é genuíno – não há como voltar na essência, no desejo tomando conta do corpo, na vontade de ser feliz.

mas como ser feliz se a lágrima na garganta é a única companhia que dorme em nossa cama? o terror de não saber qual será a próxima notícia do jornal que acabará conosco, como ela abraçará o corpo, como será o choque.

ser feliz aqui é quase impossível, é privilégio dos que nunca se desesperaram porque precisavam comer, trabalhar ou simplesmente viver.

há uma ausência em cada cruzamento de sentidos e direções.

carros passam pelo corpo estirado deste país. o veem triste, sem batimentos cardíacos, sem fé de que conseguirá levantar do acidente que o acometeu. e eu o vejo de longe, em seus últimos segundos, tentando conter sangue e humanidade… será que um dia voltará à tona, será que algum dia ressurgirá lindo, grande e heroico?

será que colocará a mão na própria consciência e se levantará da encruzilhada na qual se meteu?

pois há gente na rua ainda morrendo – de fome e de amor.

protestando pelo direito à vida e ao pão.
querendo viver novamente uma outra realidade – ainda não pensada – para o Brasil.

vão desaparecer junto com a terra todos os que, podendo ser honestos sobre seus sentimentos, foram covardes ao inventar situações. àqueles que foram dadas a oportunidade de serem de verdade, mas subverteram a culpa e jogaram-na nos ombros de outras pessoas.

o fim do mundo começa hoje

o fim do mundo começou.

preparem as piores roupas, encham os copos com vinho barato, reúnam os melhores amigos pra vê-lo se consumir.
abram bem as janelas, porque do céu virá a nossa salvação. deus está nos esperando; até ele se cansou da aventura do homem na terra. falhamos, nada deu certo por aqui, e começaremos o fim de tudo com a queda dos políticos.

vão desaparecer um por um.

primeiro os que enganaram os pobres e oprimidos.
os que levaram dinheiro em malas e cuecas, os que esconderam os tributos em paredes falsas e escritórios longe dos olhos humanos. esses, com a fúria do mundo sobre eles, desaparecerão sem deixar rastros.

vão embora deste planeta sob o silêncio ensurdecedor de um modo de vida sacana, fútil e egoísta. levam na bagagem o egoísmo e a falta de empatia em não compreenderem que a vida é sobre compartilhar. que estamos aqui porque outros estiveram. no entanto, escolheram se esquecer disso, percorrendo o caminho mais fácil, o da desonestidade.

depois, aqueles que pregaram amor, mas rejeitaram todos os que ousaram se amar. serão consumidos pela ira do mundo, arrancados de suas casas enquanto se enrolam em discursos demagogos e fés mundanas. aqueles que disseram quem devíamos amar, por qual razão, e estabeleceram leis segundo suas próprias vontades, serão levados ao juízo de si mesmos e verão: não eram o parâmetro da verdade. não existe um jeito correto de amor, exato de amar, perfeito de viver. os que tentaram impor padrões e formas, esses serão logo lançados no mar do esquecimento.

pro fim do mundo estarão os que feriram e machucaram em nome do próprio bem-estar. aqueles que enganaram por prazer, pela aventura e adrenalina de terem duas vidas, dois discursos, duas caras – por não se contentarem em viver apenas a própria jornada. vão desaparecer junto com a Terra todos os que, podendo ser honestos sobre seus sentimentos, foram covardes ao inventar situações. àqueles que foram dadas a oportunidade de serem de verdade, mas subverteram a culpa e jogaram-na nos ombros de outras pessoas.

acabarão com o fim do mundo todos os que, vendo a violência ganhar espaço nas ruas e volume nos prédios, silenciaram. esses se acabarão em bocas mudas e dores silenciosas – não haverá lugar pra complacência na outra encarnação. esses que viram o terror de perto e se negaram a pegá-lo pelo braço; os que escutaram os gritos de socorro e passaram adiante em seus carros de luxo; os que tiveram contato com a fome e, mesmo assim, permaneceram incólumes, intactos nas próprias convicções. terminarão em breve, junto com os mares, os palácios mais caros, os negócios mais sombrios, as florestas mais abandonadas, todos os que deixaram a terra sozinha na tarefa de se preservar.

vão-se os que se anestesiaram pra não ver o mundo definhando. [mas não os culpo, afinal, como sobreviver à vida sendo absorvida pelo ódio e pela falta de empatia? como respirar se o ar está contaminado pela falta de compaixão?]

o fim do mundo começou.

já os vejo desaparecendo, um a um, no horizonte da minha janela. vejo-os suplicando por uma segunda chance, pra serem, agora, humanos no viver. pra serem, agora, cidadãos caridosos, responsáveis, verdadeiros. pra serem, agora, tudo o que deixaram de ser nesta vida. ouço suas vozes, seus gritos pra permanecerem aqui, o choro de quem sabe que falhou com a sociedade e com a vida.

vejo-os carregando as maletas abarrotadas de dinheiro. vejo-os com os seus contratos, clamando por piedade. vejo-os rangendo os dentes por terem tentado acabar com o mundo e com o Brasil.

em vão tentaram, e quase conseguiram.

assistamos ao fim do mundo, os que foram humanos em suas próprias derrotas. os que não aceitaram o caos, mas lutaram contra ele honrando a palavra amor e despertando a própria consciência da apatia dos dias. assistirão ao ruir de tudo aqueles que deixaram de viver no automático e pararam pra enxergar a vida acontecendo. os que se ajudaram o suficiente a ponto de tentarem construir uma outra realidade pra entrarmos nela e nos trancarmos lá, pra sempre. os que deram as mãos nos protestos pela cidade, os que sorriram pros que trabalhavam na rua vendendo sonhos, os que abriram a janela do apartamento pra enxergar os vizinhos em suas solidões doídas e asfixiadas pelo isolamento.

assistamos ao fim de tudo, com a consciência tranquila de que um outro mundo, recriado, espera por nós. que um outro mundo, em sonho, nos aguarda pra começar a existir.

Posfácio

após anos me escondendo do mundo, sinto que finalmente estou pronto pra que vocês me conheçam. sinto que, pela primeira vez, deixo de ser o autor por trás da Textos Cruéis Demais pra ser o autor à frente de mim mesmo. o Igor visceral, humano, errante, que ama muito, intensifica as sensações, estica os sentimentos, faz arder. o Igor que não tem medo de se mostrar, afinal, não passaremos por esta vida ilesos. que já não se importa com os pesos e as implicações de carregar o mundo e a si próprio nos ombros, como quem diz: "estou pronto".

é preciso um pouco de coragem pra se libertar das amarras que comandam o nosso modo de ser. rebelar-se, diariamente, contra a apatia dos relacionamentos; das relações que sufocam, machucam e fazem sangrar; do discurso cada vez mais latente do sentir menos, pouco, nada. Drummond uma vez questiona: "entre a dor e o nada, o que você escolhe?", antevendo que viveríamos a geração do desinteresse, dos que escolhem não amolecer a pele e a retina, dos que querem viver uma existência sem arranhão algum na pele, algo que conte uma história no agora e no depois.

por isso escrevo. por isso decidi não mais me esconder. levantar os braços, a voz, os punhos e escrever. contar minhas histórias, as cicatrizes que me formam, as decepções que me fazem voar. por isso transformo minha dor em arte: faz parte da humanidade todas as nossas tentativas. faz parte do existir pegar as cicatrizes e transformá-las em motivos pra celebrar. você está vivo, sentindo, pulsando, crescendo. e eu também.

então este livro é um convite: que todas as palavras adormecidas em sua garganta possam voltar à vida e à sua boca. que todos os textos não enviados possam, enfim, chegar a quem precisa deles pra seguir em frente. que todas as suas emoções finalmente sejam vistas e pelo mundo todo. e que suas fragilidades sejam motivos pra que o universo honre e respeite a pessoa única e especial que você nasceu pra ser.

com amor, Igor.

Sobre o autor

Igor sempre gostou de escrever e encontrou refúgio nas palavras logo na adolescência, transformando cada palavra em caminho, emoção ou simplesmente ar pra respirar. Pra enfrentar a solidão, as crises de ansiedade e a depressão, buscou na literatura maneiras de sobreviver e na poesia formas de reagir. Estudante de Publicidade, viu na Textos Cruéis a oportunidade de criar um projeto até então impensado: falar nas redes sociais sobre relacionamentos sem medo, se aprofundar nas experiências humanas sem vergonha e, principalmente, falar de seus próprios sentimentos. Foi o que culminou no sucesso e na identificação do público com seus textos e, em seguida, com os livros. Em seu quarto livro, o autor espera consolidar ainda mais sua carreira como escritor e encorajar jovens escritores a se jogarem em seus próprios projetos.

Conheça também os outros livros da *Textos cruéis demais*:

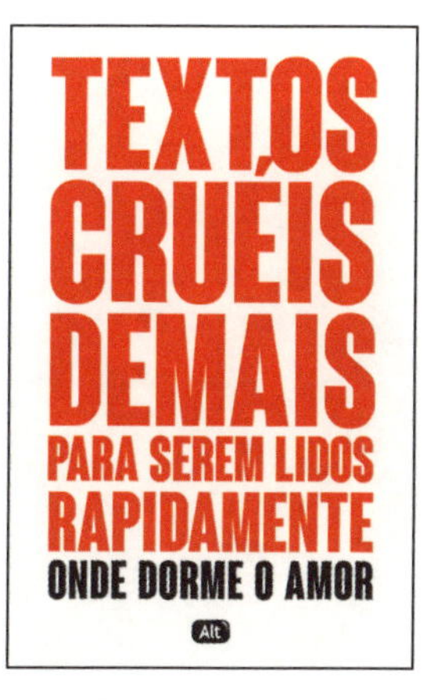

Este livro, composto na fonte Minion Pro,
foi impresso em papel Offset 75g/m² na Grafilar.
São Paulo, Brasil, agosto de 2024.